Projeto e Metamorfose

Coleção
ANTROPOLOGIA SOCIAL
fundada por Gilberto Velho
dirigida por Karina Kuschnir

- O Riso e o Risível
  Verena Alberti

- Falando da Sociedade
- Outsiders
- Segredos e Truques da Pesquisa
- Truques da Escrita
  Howard S. Becker

- Antropologia Cultural
  Franz Boas

- O Espírito Militar
- Os Militares e a República
  Celso Castro

- Bruxaria, Oráculos e Magia entre os Azande
  E.E. Evans-Pritchard

- Futuros Antropológicos
  Michael M.J. Fischer

- Nova Luz sobre a Antropologia
  Clifford Geertz

- O Cotidiano da Política
  Karina Kuschnir

- Cultura: um Conceito Antropológico
  Roque de Barros Laraia

- Guerra de Orixá
  Yvonne Maggie

- Evolucionismo Cultural
  L.H. Morgan, E.B. Tylor, J.G. Frazer

- A Invenção de Copacabana
- De Olho na Rua
  Julia O'Donnell

- A Teoria Vivida
  Mariza Peirano

- Cultura e Razão Prática
- História e Cultura
- Ilhas de História
- Metáforas Históricas e Realidades Míticas
  Marshall Sahlins

- Antropologia Urbana
- Um Antropólogo na Cidade
- Desvio e Divergência
- Individualismo e Cultura
- Projeto e Metamorfose
- Rio de Janeiro: Cultura, Política e Conflito
- Subjetividade e Sociedade
- A Utopia Urbana
  Gilberto Velho

- Pesquisas Urbanas
  Gilberto Velho e Karina Kuschnir

- O Mistério do Samba
- O Mundo Funk Carioca
  Hermano Vianna

- Sociedade de Esquina
  William Foote Whyte

Gilberto Velho

Projeto e Metamorfose

Antropologia das sociedades complexas

ZAHAR

Jorge Zahar Editor Ltda.
rua Marquês de S. Vicente 99 - 1º | 22451-041 Rio de Janeiro, RJ
tel (21) 2529-4750 | fax (21) 2529-4787
editora@zahar.com.br | www.zahar.com.br

2ª reimpressão: 2013

CIP-Brasil. Catalogação-na-fonte
Sindicato Nacional dos Editores de Livros, RJ

Velho, Gilberto
V545p Projeto e metamorfose: antropologia das sociedades complexas / Gilberto Velho. – Rio de Janeiro: Zahar, 1994.
(Antropologia social)

Inclui bibliografia.
ISBN: 978-85-7110-290-3

1. Antropologia social. I. Título. II. Série.

CDD: 306
94-1311 CDU: 316.7

SUMÁRIO

INTRODUÇÃO

Neste livro dou prosseguimento a reflexões anteriores, particularmente aquelas desenvolvidas nos livros *Individualismo e cultura: notas para uma antropologia da sociedade contemporânea*, de 1981, e *Subjetividade e sociedade: uma experiência de geração*, de 1986.

A continuidade teórica se dá, basicamente, através das noções de *projeto* e *campo de possibilidades*. A temática *indivíduo e sociedade*, com todas as suas ambigüidades, permanece como referência central, tendo como foco as sociedades complexas, particularmente a brasileira.

O desenvolvimento das mencionadas reflexões foi, aos poucos, levando-me a investir na noção de *metamorfose*. Desde, pelo menos, os meados dos anos 80, tenho procurado lidar com a questão da mudança individual dentro e a partir de um quadro sociocultural. Mesmo antes disso, já na minha remota tese de doutoramento, *Nobres e anjos: um estudo de tóxicos e hierarquia*, de 1975, deparava-me com discurso e práticas de universos que não só constatavam mas valorizavam a mudança. Esta se dava, nos próprios termos dos entrevistados, através de crises e processos conflituosos, até dramáticos. Alterações de comportamento e atitude expressavam-se em vários níveis de comunicação simbólica, como vestuário e corte de cabelo, associados a uma nova apresentação do eu — *presentation of self*, conforme Goffman. De um modo deliberado e flagrante as pessoas transformavam sua aparência física. Sabemos que nem toda mudança individual se materializa de modo tão explícito. Mas, na época, as experiências psicanalíticas e de contracultura muito contribuíam para a valorização de uma mudança pessoal particularmente sublinhada, com emblemas visíveis.

Em outros grupos sociais e períodos históricos a permanência de costumes e a estabilidade de traços e características individuais foram, por sua vez, claramente valorizadas. No entanto, nas sociedades complexas moderno-contemporâneas, como será explorado neste livro, existe uma tendência de constituição de identidades a partir de um jogo intenso e dinâmico de papéis sociais, que associam-se a experiências e a níveis de realidade diversificados, quando não conflituosos e contraditórios. Assim, as transformações que me interessam não são apenas aquelas que ocorrem ao longo do tempo, de modo irreversível e unidirecional. Tão importantes quanto estas, para minha reflexão, são as idas e vindas em função de contextos, situações e papéis diferenciados. Como veremos, essas mudanças são, constantemente, muito radicais, gerando questões desafiadoras para uma teoria de identidade. Desenvolvo, em quase todos os capítulos, discussões a respeito dessa problemática. Relaciono *projeto*, como uma dimensão mais racional e consciente, com as circunstâncias expressas no *campo de possibilidades*, inarredável dimensão sociocultural, constitutiva de modelos, paradigmas e mapas. Nessa dialética os indivíduos se fazem, são constituídos, feitos e refeitos, através de suas trajetórias existenciais. A noção de *metamorfose*, inspirada no poeta latino Ovídio, parece-me ser mais capaz de lidar com a drasticidade desses processos, do que a visão mais convencional de uma teoria de papéis. Na sua famosa obra *As metamorfoses*, Ovídio narra histórias onde homens, mulheres, deuses, animais, plantas, minerais, rios, lagos, estrelas etc. mudam de sexo, gênero, natureza, espécie, forma, contudo sempre guardando algum sinal do estado anterior.[1] Embora sofram a ação do *destino* fica o registro de alguma vontade ou iniciativa dos seres. Comenta Ítalo Calvino: "uma lei de máxima economia domina esse poema aparente-

1. Ovídio (Públio Ovídio Nasão, 42 a.C. — 18 d.C.). *As metamorfoses*. A edição em português mais acessível é a da Edições de Ouro — clássicos de bolso, 1983, tradução de David Gomes Jardim Jr.

mente voltado para o dispêndio desenfreado. É a economia própria das metamorfoses, que pretende que as novas formas recuperem tanto quanto possível os materiais das velhas."[2]

Aqui, no nosso caso, mesmo nas mudanças aparentemente mais incisivas de identidade individual, permanecem as experiências e vivências anteriores, embora reinterpretadas com outros significados. Entre um *self* fixo e imutável, por detrás das aparências, e uma plasticidade total, procuro captar o jogo da permanência e da mudança.

Projeto, identidade, memória, metamorfose, campo de possibilidades, cultura, são algumas das noções examinadas neste livro. A discussão teórica atravessa questões e problemas nas áreas de religião, arte, violência, vida urbana, desvio, política etc. Por outro lado, as relações entre antropologia e história na investigação das sociedades complexas são examinadas em vários momentos. A referência permanente é a sociedade brasileira com seus desafios, contradições e impasses.

*

Agradeço aos amigos, colegas e alunos que, de muitos modos e com diferentes estilos, têm me acompanhado e estimulado.

Especificamente, registro minha gratidão a Karina Kuschnir, assistente e amiga, pelo precioso e insubstituível apoio na confecção final deste livro.

Gilberto Velho
Rio, maio de 1994

2. Calvino, Ítalo. "Ovídio e a contigüidade universal", in *Por que ler os clássicos*. São Paulo, Companhia das Letras, 1993.

I

UNIDADE E FRAGMENTAÇÃO EM SOCIEDADES COMPLEXAS[1]

Quero narrar aqui um episódio que me parece exemplar e útil para uma reflexão sobre o estudo das sociedades complexas. No caso, especificamente, estarei voltado para a contribuição de uma análise antropológica para um melhor conhecimento da sociedade brasileira.

Eram cerca de dezessete horas na Av. Nossa Senhora de Copacabana, Posto Seis, perto da esquina da Rua Francisco Sá, Copacabana, Zona Sul do Rio de Janeiro. O episódio se passa no final da década de 1970, agosto de 1978, exatamente. Era um dia de semana. Estava caminhando em direção a Ipanema. Notei um ajuntamento de pessoas. A primeira hipótese foi de algum acidente ou de alguém passando mal. À medida que fui me aproximando, o ajuntamento começou a tomar forma. Notei uma espécie de fila sendo organizada. No seu início, vi um senhor negro, forte, de uns sessenta e poucos anos, cabeça branca, com trajes modestos, sentado em um pequeno banco. Naquele momento, a fila tinha entre quinze e vinte pessoas, homens e mulheres, jovens, pessoas de meia-idade e mais velhas, brancos, negros e pardos. Procurei me informar. Um soldado da Polícia Militar ajudava a organizar a fila. Entabulei conversação com um senhor de terno, quarentão. Na sua frente estavam duas empregadas domésticas. Vi senhoras de "classe média" vestidas com um certo apuro,

1. Conferência proferida por ocasião do concurso para professor titular do Museu Nacional/UFRJ, em 10 de setembro de 1992. Publicada originalmente em Velho, Giberto e Velho, Otávio. *Duas conferências*. Rio de Janeiro, Câmara de Estudos Avançados/FCC/UFRJ, 1992.

funcionários de um banco que encerrava o expediente, motoristas e trocadores de um ponto de ônibus próximo. Alguns colegiais rondavam a fila até que duas adolescentes nos seus quinze anos acabaram por aproximarem-se. Eram, portanto, indivíduos de distintas categorias sociais que se reuniam para participar, ou "observar participando" de um evento específico. Com o que vi e com as informações obtidas, rapidamente, ficou delineado o que estava se passando. O senhor, foco das atenções, estava caminhando só e, aparentemente sem maiores preâmbulos, teria incorporado um "preto-velho". Portanto, um espírito, uma entidade de umbanda, "desceu", tomando conta do médium/"cavalo". A partir daquele momento, o senhor estava *possuído*. Temporariamente, o dono do corpo passava a ser um espírito, reconhecido e identificado pelas pessoas em volta como um "preto-velho".[2] Nesta situação, poderia até haver alguma redundância devido ao tipo físico do médium: um senhor negro, sexagenário, de cabeça branca. Isso não é regra geral. Um "preto-velho" pode incorporar em homens, mulheres, brancos, negros, pardos, pessoas mais velhas ou mais novas.[3] O fato de haver, no caso em pauta, esta "coincidência" servia, talvez, como elemento de reforço da identidade do espírito. Não sei se alguém poderia ter pensado que ali estava o próprio "preto-velho", não apenas como espírito possessor mas corporificado. O fato é que o modo de falar, o corpo meio encurvado e torto, toda a técnica de apresentação, de postura e, de certa forma, de construção do personagem, anunciavam a presença de um "preto-velho" incorporado.[4] Os consulentes aproximavam-se

2. Na umbanda o "preto-velho" é identificado, em princípio, com um antigo escravo, sábio, bondoso e experiente, embora possa também apresentar uma dimensão guerreira de velho africano.

3. Assim como uma "pomba-gira" pode "descer" e comunicar-se através de médiuns/"cavalos" do sexo/gênero masculino.

4. Sobre umbanda, transe e possessão existe uma bibliografia brasileira conhecida e de boa qualidade. Para a presente discussão ver: Maggie, Yvonne. *Guerra de orixá: um estudo de ritual e conflito*. Rio de Janeiro, Zahar, 1975; Lapassare, George e Luz, Marco Aurélio. *O segredo da macumba*. Rio de Janeiro, Paz e Terra, 1972; Birman, Patrícia. *Feitiço, carrego e olho-grande, os males do Brasil são: estudo de um centro umbandista numa favela do Rio de Janeiro*. Rio de Janeiro, PPGAS/MN/UFRJ (dissertação de mestrado), 1980; e Gonçalves, Márcia C. *O caso da pomba-gira*. Rio de Janeiro, PPGAS/Museu

em ordem, respeitosamente, e em voz mais baixa apresentavam suas questões e problemas ao "preto-velho" que os atendia, dando conselhos e orientação. A fila aumentou. Muitos curiosos foram se aproximando. A essa altura, duas senhoras e um senhor estavam desempenhando o papel de "filhos-de-santo", fiéis mais graduados que assistiam à entidade e organizavam a situação. Definiam seus contornos e limites. Assim é que, depois de cerca de uma hora de consulta decidiram encerrá-la. Murmuraram palavras ininteligíveis para quem não estava perto, pararam a fila, e o médium saiu do transe, amparado e ajudado. Em poucos minutos, a fila se desfez, as pessoas se dispersaram e o próprio médium entrou em um ônibus e foi embora sozinho.

*

Quando um antropólogo faz uma etnografia, uma de suas tarefas mais difíceis, como sabemos, ao narrar um evento, é transmitir o *clima*, o *tom*, do que está descrevendo. A sucessão dos fatos no tempo, o número de participantes, a reconstituição das interações, são etapas fundamentais mas, quase sempre, fica-se com a sensação e/ou sentimento de que falta algo crucial. No caso, o que me parece mais importante é tentar transmitir a idéia de que, para as pessoas envolvidas, nada particularmente anormal estava ocorrendo. Havia uma certa surpresa, curiosidade, graus diferentes de familiaridade mas, observei, sobretudo, um forte interesse combinado com evidente respeito. Certamente, na multidão que percorria a Avenida Copacabana estavam pessoas que não se preocuparam ou não notaram o que estava se passando. Sem dúvida, nem todos pararam para ingressar na fila da consulta. Portanto, não só não afirmo que todos os passantes fossem umbandistas, como estou certo que poderíamos encontrar indivíduos céticos, indiferentes, ou mes-

Nacional/UFRJ (dissertação de mestrado), 1983; entre outros. Para uma bibliografia mais geral ver também Crapanzano, Vincent. *The Hamadsha: a study in Moroccan Ethnopsychiatry*. Berkeley, University of California Press, 1973; e Beattie, John e Middleton, John (orgs.). *Spirit Mediumship and Society in Africa*. Londres, Routledge & Kegan Paul, 1969.

mo hostis àquela manifestação. Como discutirei no decorrer deste trabalho, esta é uma das principais características das sociedades complexas — a coexistência de diferentes estilos de vida e visões de mundo.[5] No entanto, neste caso, ficou bem nítido que foi formado um grupo com uma ação coletiva organizada, sustentada em crenças e valores compartilhados. Ou seja, em um ambiente exemplarmente metropolitano, com todas as características clássicas, inclusive de relativo anonimato,[6] produziu-se um interesse, um foco de atenção que congregou indivíduos e categorias sociais nitidamente distintos e diferenciados. O mais relevante para a dimensão cultural do episódio é a identificação de uma *linguagem*, expressão de uma *rede de significados* nos termos de Geertz — *web of meanings*.[7] Para as pessoas que se aproximaram ou mesmo para as que passavam sem se deter, a informação de que alguém estava "recebendo um preto-velho" era compreendida e assimilada. Por outro lado, como já observei, houve consenso na identificação da entidade. As técnicas do corpo, a apresentação, o modo de falar, a postura etc, constituíam um outro tipo de linguagem, conhecido pelos que ali se reuniam. Convém registrar que não é comum a ocorrência deste tipo de situação no meio da rua, no horário de trabalho. As entidades descem habitualmente em terreiros e em lugares e momentos especiais, ritualizados, como nas festas de passagem de ano nas praias.

5. Ver Velho, Gilberto. *Individualismo e cultura: notas para uma antropologia da sociedade contemporânea*. Rio de Janeiro, Zahar, 1981, Cap. I, 3. ed., Jorge Zahar, 1994.
6. Ver Simmel, Georg. "The Metropolis and Mental Life", in *On Individuality and Social Forms*. Donald Levine (org.), Chicago, University of Chicago Press, [1902] 1971, p. 324-39; Park, Robert. "The City: Suggestions for the investigation of human behavior in the urban environment". *American Journal of Sociology*, XX, 1916, p. 577-612. Tradução brasileira: "A cidade: sugestões para a investigação do comportamento humano no meio urbano", in Otávio G. Velho (org.), *O fenômeno urbano*. Rio de Janeiro, Zahar, 1967, p. 29-72.; e Velho, Gilberto e Machado da Silva, Luis Antônio. "Organização social do meio urbano". *Anuário Antropológico/76*, 1977, p. 71-82.
7. Ver Geertz, Clifford. *The Interpretation of Cultures*. Nova York, Basic Books, 1973. Tradução brasileira: *A interpretação das culturas*. Rio de Janeiro, Zahar, 1978.

Havia, por conseguinte, algo de atípico naquela incorporação. O indivíduo só, fora do terreiro e do ritual, entrou em transe recebendo um "preto-velho". Como disse, no início, não era uma aberração na medida em que parecia ser um fenômeno conhecido, embora não banal, para aquele universo. Conversei depois com colegas antropólogos, estudiosos do assunto, assim como umbandistas, que, de certa forma, confirmaram o inusitado do episódio. A possessão, em princípio, se dá dentro do ritual. No entanto, pode ocorrer que uma entidade se incorpore fora de um terreiro e dos momentos previstos. Soube de outros episódios semelhantes que ilustram essa possibilidade. A idéia básica é que o controle sobre os espíritos é sempre um tanto precário e que há, inevitavelmente, uma margem de imprevisibilidade na relação com o sobrenatural. Nas sessões, nos terreiros e, fora deles, em momentos e situações especiais há uma certa domesticação dessa relação, com especialistas presentes que devem saber lidar com os espíritos e com a possessão.

*

Quero dar destaque a duas vertentes do episódio narrado. Sugiro que, através do jogo e da relação entre estas, é possível perceber mecanismos e características fundamentais da sociedade brasileira, o que também contribuirá para uma teoria mais geral das sociedades complexas.

Enfatizei a presença e participação de indivíduos de categorias sociais distintas. Convém esmiuçar isso um pouco mais. Mencionei empregadas domésticas e senhoras de "classe média" que, em tese, poderiam ser suas patroas. Certamente, não era a hora de invocar o "você sabe com quem está falando?", nos termos da análise de Roberto da Matta.[8]

A relação hierárquica entre essas categorias desaparecia na fila de consulentes, sem nenhuma precedência explícita, a não ser aquela estabelecida pelo momento de chegada. Isto, aliás, se apli-

8. Da Matta, Roberto. *Carnavais, malandros e heróis*. Rio de Janeiro, Zahar, 1979.

cava a todos os membros da fila. Motoristas e trocadores de ônibus, com seus uniformes maltratados, misturavam-se a bancários de terno e gravata — uns carregando o paletó, outros com a gravata desabotoada etc. Sabemos que podemos distinguir tipos sociais não só pelos ternos ou qualquer outra indumentária, mas pelo modo de usá-los. De terno e gravata estavam também alguns profissionais liberais. Conversei com um engenheiro, com um advogado e com um professor de geografia de curso secundário. As pessoas mais velhas incluíam alguns aposentados civis e militares. Além dos estudantes uniformizados, estavam presentes outros jovens, como *boys* e moças vestidas com roupas de lojas conhecidas. A diferenciação estabeleceu-se com a atuação dos três indivíduos, já mencionados, que assumiram o papel de *experts*, de conhecedores do ritual. Eram, no mínimo, freqüentadores regulares de terreiros, talvez ocupando alguma posição na hierarquia religiosa. Não sei se isso foi anunciado ou se, simplesmente, eles se impuseram pela sua atitude e *performance*. O fato é que assumiram a liderança da situação, organizando-a, contando com a ajuda, não só do policial militar, como de todos, em uma demonstração insofismável de reconhecimento de sua habilitação. Dialogavam com a entidade, chamavam os consulentes, e acabaram por encerrar o evento no momento que julgaram oportuno. Foi enunciada, de maneira clara, a inconveniência de prolongar as consultas, pois "havia hora pra tudo" e "muita gente já tinha sido atendida". Alguém informou que aquele "preto-velho trabalhava" em um terreiro em Madureira — subúrbio do Rio de Janeiro. Não chegou a ser uma operação de marketing. Foram comentários discretos, sem distribuição de cartões e endereços. Aparentemente, ninguém ficou sabendo com precisão quem era o médium. Chegou anônimo, recebeu a entidade, deu consulta e depois voltou ao anonimato.

*

Assinalei, portanto, a densidade de uma situação social, encontro de diferentes indivíduos que circulavam em uma das principais vias da Zona Sul do Rio de Janeiro. Enquanto estiveram juntos, participaram do mesmo interesse, tinham um foco comum de atenção e suspenderam, ou adiaram, outras atividades e compromissos. Compartilharam, por algum tempo, de uma *definição comum de realidade*, operaram na mesma *província de significado*, nos termos de Alfred Schutz.[9] Interagiram através de uma *rede de significados*, conforme a definição de Geertz.[10] Atuaram dentro de um sistema compartilhado de crenças e valores. Mesmo admitindo uma certa variação individual, o comportamento e a atitude dos participantes apresentavam notável homogeneidade. Uns estavam mais sérios e quietos. Outros conversavam e se agitavam mais. Como já observei, o tom dominante era respeitoso e atento. Havia o reconhecimento da presença do sobrenatural, com a incorporação de entidade conhecida. A heterogeneidade sob o ponto de vista sociológico, quanto à estratificação social, faixas etárias, distribuição ocupacional, diversidade étnica etc., não obscurecia o fenômeno de uma participação comum naquele contexto religioso, marcado por uma relação particular com os espíritos e, de modo mais amplo, com o sobrenatural. Símbolos compartilhados, linguagem básica comum, gramaticalidade no processo de interação e *negociação da realidade*, expectativas e desempenhos de papéis congruentes, tudo isso configurava um quadro do que poderíamos chamar de consistência cultural.

Mas há também um outro nível de análise necessário. Georg Simmel, em seu artigo clássico "A metrópole e a vida mental", de 1902, chamava a atenção para a especificidade da vida social nos grandes centros urbanos surgidos da Revolução Industrial, da formação dos grandes estados nacionais e de um complexo mercado internacional.[11] A obra de Simmel é vasta e densa, apresentando diferentes ênfases e planos de análise. Um de seus objetivos nesse texto era contrastar um estilo de vida metropolitano com o modo de vida tradicional, rural. A grande cidade — trata-se de artigo que faz noventa anos — caracterizar-se-ia, sobretudo, pela

9. Schutz, Alfred. *Fenomenologia e relações sociais*. Rio de Janeiro, Zahar, 1979.
10. Geertz. op. cit.
11. Ver Simmel, Georg. *On Individuality and Social Forms*. Donald Levine (org.), Chicago, University of Chicago Press, 1971.

grande quantidade e diversidade de estímulos. Isso geraria um "excesso", provocando uma adaptação no nível individual que definiu como *blasé*. Desenvolver-se-ia uma espécie de capa protetora, uma indiferença, como defesa da ameaça de fragmentação. Simmel, aqui e em outros momentos de sua obra, via na multiplicidade e diferenciação de domínios e níveis de realidade da sociedade moderna um desafio à integridade do indivíduo psicológico. Em outro trabalho importante, "Subjective Culture", de 1908, analisava o enorme desenvolvimento e crescimento de uma dimensão externa aos indivíduos, que denominou de *cultura objetiva*, em detrimento da riqueza e harmonia internas do que definiu como *cultura subjetiva*.[12] Esse desequilíbrio entre as duas dimensões e/ou culturas seria, também, uma das marcas da modernidade. Pode-se aventar uma possível nostalgia ou idealização do passado por parte de Simmel. Na realidade, estava expressando uma tradição humanista onde as idéias de *Bildung* e *self-cultivation* remontavam, pelo menos, a Goethe. Nessa linha de pensamento, a modernidade da metrópole e da sociedade industrial constituiriam, senão impedimento, pelo menos um forte óbice ao desenvolvimento integrado dos indivíduos.

A antropologia, em geral, e, particularmente, os estudos em meio urbano, têm lidado de diversas maneiras com essa problemática. Creio que o caso narrado do "preto-velho" em Copacabana pode ajudar nesse sentido a aprofundar nossa reflexão.

De uma multidão, aparentemente de anônimos, de transeuntes de diversos tipos, destaca-se um indivíduo que entra em transe e recebe, incorpora, um espírito conhecido dos terreiros de umbanda. Algumas dezenas de pessoas se detêm e participam de um ritual improvisado mas não desorganizado. Temos um começo e um fim claramente definidos e marcados. Será que os relógios pararam, nos termos da indagação de Simmel sobre Berlim: o que acontece numa metrópole moderna quando param os relógios? No caso, criou-se um intervalo que não deixou de ser controlado e avaliado. Efetivamente, processou-se uma *negociação da realidade*, não totalmente explicitada, que permitiu que aquela situação se

12. Simmel. op. cit.

sustentasse por algum tempo. Por outro lado, salientando a outra vertente do acontecimento, enfatize-se o fato de centenas de pessoas passarem por ali, no espaço de uma hora sem se deterem. Quem eram esses outros transeuntes? Pela aparência, de um modo geral, não pareciam diferir dramaticamente daqueles que formaram a fila. Impressionisticamente, poderia arriscar dizendo que entre os consulentes existia uma proporção um pouco maior de pessoas mais modestas e de cor segundo o senso comum, representadas, sobretudo, pelas empregadas domésticas e rodoviários. Estes, repito, ombreavam com homens e mulheres de camadas médias de vários tipos, brancos, educados, com sinais de status, que, em certos casos, poderiam até mesmo identificar membros de elites sócio-econômicas. Há várias explicações para as pessoas não se deterem. Algumas podem não ter tido sua atenção sequer despertada, absortas em suas atividades. Outras talvez não tivessem curiosidade suficientemente forte para desviar-se de seu rumo. Também é possível notar o ajuntamento, perceber o que se passava e, contudo, decidir prosseguir com seus afazeres. Não se pode também descartar reações de medo, rejeição, ou até repugnância.

Poderia apresentar outras possibilidades, mas creio ter ficado já clara a existência de uma margem de reações, opções e alternativas. Certamente, não estava assistindo a um tipo de ritual que congregasse toda ou quase toda a comunidade como em clássicos exemplos tribais.[13] Nem era um local sagrado, com identidade definida onde se reunia um grupo de fiéis para uma cerimônia prevista em um calendário. De algum modo, parte dos comportamentos descritos pode estar associada à atitude *blasé*, descrita por Simmel, com os indivíduos se protegendo de um "excesso de estímulos". Mas o que julgo mais significativo é a explicitação de um *campo de possibilidades* próprio à sociedade complexa moderna. Ali, naquele espaço, naquele período de tempo, cruzaram-se várias trajetórias e trilhas sociológicas e culturais. Assim, se por um lado identificamos a crença em espíritos e em possessão como um forte fator aglutinador de um universo sociologicamente he-

13. Ver, por exemplo, Beattie, John e Middleton, John. op. cit.

terogêneo, por outro, encontramos uma gama de opções, expressão de um espectro de possibilidades, da metrópole brasileira contemporânea.

Creio que a problemática anunciada por Simmel, no início do século, é absolutamente atual, assumindo, no entanto, matizes, nuanças e, em última análise, maior complexidade, em função das próprias transformações das sociedades contemporâneas. Outro clássico dos estudos urbanos, Robert E. Park, falava dos "mundos que se tocavam mas não se penetravam" na grande cidade moderna.[14] Esses mundos estariam demarcados, às vezes mesmo espacialmente, como nos guetos, mas, em geral, por fronteiras étnicas, sociológicas e culturais. Suas reflexões, inevitavelmente, estavam vinculadas a uma experiência de época sobretudo referida aos grandes centros urbanos norte-americanos dos quais Chicago tornou-se paradigmática. Pesquisas mais recentes, realizadas principalmente por antropólogos, tenderam a relativizar essas fronteiras sem, contudo, negá-las. Guetos variados, por exemplo, não só continuam existindo, mas multiplicaram-se nas aglomerações urbanas. Os trabalhos de Clyde Mitchell e Epstein, entre outros, na África, e Raymond Firth, Elizabeth Bott, com associados na Inglaterra, a partir dos anos 50, complexificaram nossa discussão. Nos próprios Estados Unidos, sociólogos como William Foote White, Everett Hughes, Howard S. Becker, Herbert J. Gans etc, utilizando métodos qualitativos de trabalho de campo, dentro da tradição da Escola de Chicago, seguindo os próprios passos de Park, também contribuíram para maior sofisticação da abordagem. Antropólogos como Robert Redfield, Horace Miner, Oscar Lewis e Lloyd Warner, dialogaram e contribuíram substancialmente para o desenvolvimento do campo e da discussão com suas investigações em cidades tradicionais e modernas. Esses cientistas sociais, estudiosos da sociedade urbana, mostraram, entre outros fatos, a existência de redes de relações — *networks* — que atravessavam o mundo social de modo horizontal e vertical. Ou seja, por mais significativas e inclusivas que pudessem ser

14. Park. op. cit.

categorias como família e parentesco, bairro e vizinhança, origem tribal e/ou étnica, grupos de status, estratos e classes sociais, registravam-se circulação, interação sociais associadas a experiências, combinações e identidades particulares, individualizadas. O mercado e o trabalho, a vida política com suas transformações são, sem dúvida, fatores estimuladores dessas "travessias sociológicas" com maiores ou menores custos individuais e sociais. Atuam recorrente e coercitivamente como forças sobre as quais grupos e pessoas têm pouco ou nenhum controle, temática fundamental dos clássicos das ciências sociais como Marx, Durkheim e Weber.

A Revolução Industrial e o processo de urbanização associado constituem exemplos paradigmáticos desse fenômeno. Mais recentemente, as cidades do terceiro mundo com êxodo rural, migrações, explosão demográfica, pobreza e marginalidade apresentam um quadro flagrante da fragilidade e relativa impotência da esmagadora maioria dos indivíduos e das categorias sociais. Sabendo e considerando tudo isso, procuro mapear e resgatar a possível margem de manobra e iniciativa dos agentes sociais envolvidos.

Continuo lidando com duas vertentes ou pontos de vista: o da unidade e o da diferenciação. Creio que através dessa dialética, desses deslocamentos e oscilações, podemos analisar, com proveito, características e experiências que, embora não exclusivas, estão fortemente associadas às metrópoles contemporâneas. O próprio Simmel, em diversas oportunidades, caracterizou a situação do indivíduo na sociedade moderna como ponto de interseção de vários mundos. Logo, sem ignorar a força de coerção de processos sociais abrangentes, volto-me para o nível que Firth denominou de *organização social*, onde, através da interação entre indivíduos e suas redes de relações, podemos lidar com o fenômeno da *negociação da realidade* em múltiplos planos.[15] A própria idéia de *negociação* implica o reconhecimento da diferença como elemento constitutivo da sociedade. Como sabemos, não só o conflito, mas a troca, a aliança e a interação em geral, constituem a

15. Firth, Raymond. *Elements of Social Organization*. Londres, Watts, 1951.

própria vida social através da experiência, da produção e do reconhecimento explícito ou implícito de interesses e valores diferentes. O fenômeno da *negociação da realidade*, que nem sempre se dá como processo consciente, viabiliza-se através da linguagem no seu sentido mais amplo, solidária, produzida e produtora da *rede de significados*, de que fala Geertz. Em outras palavras a *cultura*, nos termos de Schutz, enquanto comunicação, não exclui as diferenças mas, pelo contrário, vive delas. Vejo no caso do "preto-velho", aqui narrado, uma clara demonstração dessa perspectiva de análise. A diferenciação sociológica do universo descrito é evidente e simultânea ao entendimento e comunicação estabelecidos. Isso não se dá, do mesmo modo, em qualquer situação social. Em princípio, o acordo é uma possibilidade, e o consenso problemático. Certamente, não se trata de um fluxo de comunicação perpetuamente harmonioso. Vale insistir em uma *démarche* antropológica em que a diferença no nível dos discursos e das representações não está colada às fronteiras sócio-econômicas. Estas têm repercussões e estão associadas ao mundo simbólico que, por sua vez, se manifesta através de linguagem, código e discursos não redutíveis a variáveis externas. Na abordagem fenomenológica de Schutz e no interacionismo de Simmel enfatiza-se a distinção e a autonomia de diferentes *mundos* e *províncias de significado*, *níveis* e *dimensões* do real. Por outro lado, Mikhail Bakhtin fala de uma *heteroglossia*, coexistência de diferentes discursos em uma mesma sociedade que, embora relacionados, mantêm suas particularidades.[16] Estas estão, para o pensador russo, vinculadas à estrutura social, mas não de modo mecânico e linear. De alguma forma também ressalta um maior grau de autonomia e lógica próprias ao que chamaríamos de códigos culturais. A existência do *bilingüismo*, explorada também por Peter Burke[17], indica a possibilidade de membros de uma categoria social particular participarem e acionarem *códigos*, originalmente ligados a categorias sociais diferentes da sua. No caso da Idade Média

16. Bakhtin, Mikhail M. *The Dialogic Imagination: four essays by M.M.Bakhtin*. Austin, University of Texas Press, 1981.
17. Burke, Peter. *Cultura popular na idade moderna*. São Paulo, Companhia das Letras, 1989.

Ocidental, esses autores chamam a atenção para a coexistência de uma cultura letrada, de corte e/ou aristocrática, com uma cultura popular. Naquele período da história eram, sobretudo, indivíduos das elites que poderiam exercer esse *bilingüismo*, pois tinham acesso e participavam dos dois mundos. Enquanto o inverso não se dava, pelas razões da lógica da hierarquia social.

Ao explorar a hipótese da coexistência de discursos e visões de mundo, como ficaria o "caso do preto-velho"? De imediato, fica evidente a importância da história para a investigação antropológica das sociedades complexas. No Brasil, os trabalhos de Laura de Mello e Souza, Luis Mott, e João José Reis, assim como anteriormente de Roger Bastide, demonstram com riqueza de dados a existência de cultos de possessão há quase três séculos, já com indícios de interação entre categorias sociais distintas.[18] Ou seja, desde pelo menos o final do século XVII, início do XVIII, pesquisadores identificam rituais que, conforme observa Mott, são praticamente idênticos a rituais contemporâneos, descritos e analisados por antropólogos.[19] O episódio do "preto-velho" em Copacabana, em 1978, tem, portanto, uma dimensão histórica de *longue durée*. Em trabalho recente, Marlise Meyer, em interessantíssima pesquisa, estabelece uma relação de continuidade entre a entidade Maria Padilha, uma "pomba-gira" da umbanda contemporânea, com figura histórica do século XIV, da corte de Castela, personagem do romancero ibérico.[20] O trabalho, complexo e minucioso, de inspiração guinzburguiana, acompanha as transformações e aparições da personagem histórica/entidade sobrenatural em diferentes momentos da sociedade e cultura luso-brasileiras. Hoje, Maria Padilha é uma das pomba-giras que convivem com os

18. Mello e Souza, Laura. *O diabo e a Terra de Santa Cruz*. São Paulo, Companhia das Letras, 1986; Mott, Luiz. "Acotundá: raízes setecentistas do sincretismo religioso afro-brasileiro". *Revista do Museu Paulista*, nº 31, 1986, p. 124-47; Reis, João José. "Magia Jege na Bahia: a invasão do Calundu do pasto de Cachoeira, 1785". *Revista Brasileira de História*, São Paulo, v.8, n.16, 1988, p. 57-82; e Bastide, Roger. *As religiões africanas no Brasil*, 3. ed. São Paulo, Pioneira, 1989.
19. Mott. op. cit.
20. Meyer, Marlise. *Maria Padilha e toda a sua quadrilha: de amante de um rei de Espanha à pomba-gira de umbanda*. São Paulo, Duas Cidades, 1993.

pretos-velhos nos terreiros de umbanda. A investigação de Meyer nos permite acompanhar, no tempo, a constituição de, pelo menos, parte do universo de crenças, representações e valores de nossa sociedade, heterogênea e diversificada. Assim, o código e o discurso associados à crença em espíritos e à possessão apresentam não apenas uma significativa amplitude sociológica, mas uma considerável profundidade histórica. Sem dúvida, são as duas faces do mesmo fenômeno. Estar vivo é ser capaz de relacionar-se com os espíritos, seja de antepassados ou de entidades diversas. Essa seria uma das características mais gerais do que poderíamos chamar de cultura na sua acepção mais ampla na sociedade brasileira.

*

Na situação narrada, encontramos a expressão de código e discurso conhecidos, com evidente poder socializador. Entre outros problemas, coloca-se a questão de sua legitimidade junto à sociedade abrangente. Sabemos das restrições, discriminação e perseguições que sofreram os cultos de transe e possessão, de alguma forma, embora não exclusivamente, vinculados às religiões afro-brasileiras. O próprio material e fontes pesquisados por historiadores e antropólogos é, em grande parte, produto da ação repressiva, inquisitorial e policial que lhes foi movida.[21] Portanto, até recentemente, tratava-se de atividade, no mínimo, semiclandestina. Convém lembrar que dentro de uma sociedade complexa, como a brasileira, encontramos não só discursos e códigos diferentes e competitivos, mas, também, em posições diferenciadas diante do mundo oficial do Estado e, tradicionalmente, da Igreja Católica. Por isso, fica ainda mais evidente a força desse conjunto de crenças que, sustentado por uma tradição subterrânea, apresenta tanto notável continuidade como impressionante crescimento. Hoje, os principais veículos de comunicação do país têm programas, como noticiários e nove-

21. Ver, por exemplo, Maggie, Yvonne. *Medo do feitiço: relações entre magia e poder no Brasil*. Rio de Janeiro, Arquivo Nacional, 1993.

las, onde o transe e a possessão aparecem como temas habituais. Mas trata-se de fenômeno recente. Há cerca de vinte anos, por exemplo, um episódio de possessão na televisão provocou forte repúdio de autoridades civis, militares e eclesiásticas, acionando a censura, então instrumento rotineiramente utilizado. É o famoso caso do "Seu Sete da Lira", Exu, que incorporou em uma médium em um programa de entrevista ao vivo. A história do "preto-velho" aqui narrada passa-se sete anos depois, quando ainda predominava uma maior restrição naqueles veículos. Existem outros casos fascinantes como o da "pombagira" narrado e analisado por Márcia Gonçalves, em sua dissertação, onde fica evidente o caráter tênue e fluido das fronteiras entre o mundo oficial e um, relativamente, subterrâneo.[22] Enfatizo que essa maleabilidade e fluidez é um dos aspectos mais cruciais para um esforço de compreensão das sociedades complexas, particularmente nas grandes metrópoles. Cria uma possibilidade de jogo de papéis e de identidade, que é uma das marcas mais expressivas de seu estilo de vida. Os limites entre norma, conformismo, transgressão, constantemente são colocados em xeque. Todas as noções de normalidade e desvio têm um caráter eminentemente instável e dinâmico.[23] Essa multiplicidade de experiências e papéis sublinha a precariedade de qualquer tentativa excessivamente fixista na construção dos mapas socioculturais.

A linguagem, o discurso, o código, as representações e crenças associadas às religiões e cultos de possessão são fundamentais na constituição da sociedade brasileira. O recente crescimento de cultos protestantes, como a Igreja Universal, com a prática disseminada do exorcismo, reforça a percepção da crença em espíritos como fenômeno generalizado. Como vimos, existem fiéis cuja vida está centrada nos cultos e também aqueles passantes curiosos que respeitam, temem e, de alguma forma, acreditam no sobrenatural, em espíritos e na sua participação no mundo da vida cotidiana.

22. Gonçalves. op. cit.
23. Ver Velho, Gilberto. *A utopia urbana: um estudo de antropologia social*. Rio de Janeiro, Zahar, 1973; 5. ed., Rio de Janeiro, Jorge Zahar, 1989.

Tomei este exemplo como um caso limite, uma situação social expressiva de problemática mais ampla da sociedade brasileira e das sociedades complexas em geral. Os indivíduos transitam entre os domínios do trabalho, do lazer, do sagrado etc., com passagens às vezes quase imperceptíveis. Estão na interseção de diferentes mundos, repetindo Simmel. Podem a qualquer momento transitar de um para o outro, em função de um código relevante para suas existências.

A fragmentação das relações e papéis sociais na sociedade moderna demarca domínios distintos, como também mostrou Max Gluckman, contrastando com as relações *multiplex* das sociedades tribais.[24] Mas o trânsito entre os domínios se dá constantemente, de modo desdramatizado. Os indivíduos vivem múltiplos papéis, em função dos diferentes planos em que se movem, que poderiam parecer incompatíveis sob o ponto de vista de uma ótica linear. Sabemos que é preciso tomar cuidado ao estabelecer contrastes com sociedades tribais e tradicionais para não exagerar em polarizações que possam perder sua eficácia de tipos ou modelos ideais. Nenhuma sociedade é monolítica culturalmente, sempre apresentando planos e dimensões diferenciados em função do seu modo singular de construção da realidade. No entanto, o caso da sociedade moderno-contemporânea aparece como limite em relação à multiplicidade e fragmentação de papéis e domínios. Schutz compara a fragmentação da sociedade moderna com a unidade do sistema cultural clássico chinês analisado por Granet.[25] Com sua abordagem fenomenológica, Schutz busca dar conta, a partir de nossa sociedade, da questão dos múltiplos domínios e *províncias de significado*, não só do social em sentido restrito, mas do real socialmente construído, de modo mais abrangente. Com isso, tenta perceber a gramaticalidade das mudanças de papéis e de identidade em diferentes contextos e experiências. Assinala que os indivíduos vivem em diversos planos simultaneamente. Varia o grau de *adesão, commitment, comprometimento.*

24. Gluckman, Max. *Essays on the Ritual of Social Relations.* Daryll Forde et al. Manchester, Manchester University Press, 1962.
25. Schutz. op. cit.

Sem dúvida, certas situações têm caráter mais totalizante e exclusivista. No caso mencionado, o "preto-velho" incorporando-se num terreiro estaria dentro de um ritual onde os atores, em princípio, apresentam o mesmo *commitment*. Os limites espaciais e temporais configurariam o perfil da situação social, marcando sua dimensão religiosa. Já na rua, em meio ao burburinho urbano, o evento corria paralelo a outras situações, de algum modo, concorrentes.

Assim, na sociedade complexa, particularmente, a coexistência de diferentes mundos constitui a sua própria dinâmica. Essa noção encontramos em vários autores mas, em Simmel e Schutz, para mim especialmente importante, identifica processos de demarcação entre esferas de atividade e *províncias de significado*. A continuidade e as transformações da vida social dependem do relacionamento, mais ou menos contraditório e conflituoso, entre esses *mundos* e os códigos a eles associados. Erving Goffman demonstrou, brilhantemente, como os indivíduos vivem, interpretam e atuam no trânsito entre essas diferentes esferas. A noção de construção social da realidade elaborada por Schutz e divulgada, entre outros, por Peter Berger e Thomas Luckmann,[26] é instrumento fundamental para o desenvolvimento dessas reflexões. Por exemplo, retomando o diálogo Simmel e Dumont, pode-se perceber os indivíduos se deslocando entre contextos hierarquizantes/holistas e individualizantes/igualitários. Partilham e acionam esses códigos em situações, momentos e planos diferentes de suas trajetórias. Existe uma relação entre essas ideologias e as *províncias de significado* socialmente construídas. O individualismo moderno, metropolitano, não exclui, por conseguinte, a vivência e o englobamento por unidades abrangentes e experiências comunitárias. Permite e sustenta maiores possibilidades de trânsito e circulação, não só em termos sociológicos, mas entre dimensões e esferas simbólicas. Saliente-se que a intensa participação em, por exemplo, rituais comunitários, em algum nível desindividualizantes, com foco numa identidade coletiva, não

26. Berger, Peter e Luckmann, Thomas. *A construção social da realidade: tratado de sociologia do conhecimento*. Petrópolis, Vozes, 1973.

elimina o nível de escolha, de opção, de um indivíduo/sujeito, lidando com um repertório finito, mas com extenso elenco de combinações.

Procuro, com estas idéias, assinalar pontos chaves para o desenvolvimento de uma antropologia das sociedades complexas. As noções de *campo de possibilidades* e de *projeto* com que venho trabalhando há vários anos, a partir de influências significativas como a dos muitas vezes citados Simmel e Schutz, buscam lidar com a problemática da unidade e fragmentação. *Campo de possibilidades* trata do que é dado com as alternativas construídas do processo sócio-histórico e com o potencial interpretativo do mundo simbólico da cultura. O *projeto* no nível individual lida com a performance, as explorações, o desempenho e as opções, ancoradas a avaliações e definições da realidade. Estas, por sua vez, nos termos de Schutz, são resultado de complexos processos de negociação e construção que se desenvolvem com e constituem toda a vida social, inextricavelmente vinculados aos códigos culturais e aos processos históricos de *longue durée*.

Por outro lado, a noção schutziana de *províncias de significado* finitas, inspirada em William James, permite-nos perceber os diferentes mundos que constituem uma sociedade em sua singularidade e nas relações de uns com os outros. O trânsito entre essas províncias e mundos é uma das questões cruciais para a compreensão sociológica e antropológica. No caso que relatei, temos um exemplo expressivo dessa problemática com a possessão do médium e com todas as interações sociais resultantes. A mudança do tipo de *attention à la vie*, com a erupção de um fenômeno religioso de transe no mundo do cotidiano, do trabalho ou do lazer, ilustra a dialética de unidade e fragmentação, assim como as tensões e comunicação entre diferentes planos e esferas da realidade. Em uma sociedade em que a crença em espíritos é generalizada fica problemática a definição da *província de significado* da vida cotidiana como realidade suprema, conforme propõe Schutz,[27] a não ser que se assinale a possibilidade permanente de trânsito e de transições, através de um código que os viabilize,

27. Schutz. op. cit. p. 249.

evitando choques espetaculares e traumáticos. Insisto que não estamos lidando apenas com contextos sociais diferentes, mas com distintos planos e níveis de realidade socialmente construídos. Parece-me que essa percepção é fundamental para uma teoria da cultura mais sofisticada. Faz parte da competência normal de um agente social mover-se entre as *províncias de significado* e ser capaz de passar, como vimos, do mundo do trabalho para o reino do sagrado. Mas as fronteiras entre essas províncias podem ser mais tênues ou singelas e os trânsitos menos solenes e pomposos. Essa permanente latência implica o que poderíamos chamar de *potencial de metamorfose*, distribuído desigualmente por toda a sociedade. O repertório de papéis sociais não só não está situado em um único plano, mas a sua própria existência está condicionada a essas múltiplas realidades. Com isso, talvez, possamos escapar de falsos problemas ditados por uma visão linear da experiência sociocultural.

Sem dúvida, a noção de *metamorfose* deve ser usada com o devido cuidado, pois os indivíduos, mesmo nas passagens e trânsito entre domínios e experiências mais diferenciadas, mantêm, em geral, uma identidade vinculada a grupos de referência e implementada através de mecanismos socializadores básicos contrastivos, como família, etnia, região, vizinhança, religião etc. A tendência à fragmentação não anula totalmente certas âncoras fundamentais que podem ser acionadas em momentos estratégicos. Por outro lado, a fragmentação não deve ser entendida como um estraçalhamento literal do indivíduo psicológico. O trânsito entre os diferentes mundos, planos e províncias é possível, justamente, graças à natureza simbólica da construção social da realidade. A utilização de diferentes códigos e discursos relativiza, contextualizando, a noção de *blasé*, desenvolvida por Simmel em 1902. Não é o mesmo indivíduo único que recebe passivamente estímulos múltiplos e diferenciados. O próprio Simmel, através da idéia de *cultura subjetiva*, permite pensar que esta pode ser construída em múltiplos planos. A *metamorfose* de que falo possibilita, através do acionamento de códigos, associados a contextos e domínios específicos — portanto, a universos simbólicos diferenciados — que os indivíduos estejam sendo permanentemente reconstruídos. Assim, eles não se esgotam numa dimensão biológico-psicologizante, mas se transformam não por volição, mas porque fazem parte, eles próprios, do processo de construção social da realidade.

A complexidade e, por conseguinte, a maior indeterminação da sociedade moderno-contemporânea evidenciam com mais nitidez esse fenômeno que é da própria natureza do social.

II

TRAJETÓRIA INDIVIDUAL E CAMPO DE POSSIBILIDADES

Em 1971, durante estadia nos Estados Unidos, passei o verão local, de fins de maio a início de agosto, realizando pesquisa de treinamento com a população portuguesa da Nova Inglaterra. Essa atividade fez parte do meu programa de trabalho como "special student" no Departamento de Antropologia da Universidade do Texas em Austin. Assim, eu e Yvonne Maggie mantínhamos nossos laços com o Texas dialogando com os professores Richard N. Adams e Anthony Leeds, enquanto contávamos na área de Boston com o apoio dos professores David Maybury-Lewis, Shelton Davis e Roberto Cardoso de Oliveira, então visitante na Universidade de Harvard.

Meu trabalho de pesquisa anterior fora no bairro de Copacabana, no Rio de Janeiro, base de minha dissertação de mestrado que originaria o livro *A utopia urbana*, publicado em 1973.[1] A oportunidade de fazer pesquisa em outra área metropolitana, em outro país e cultura, foi de importância fundamental para o desenvolvimento de reflexões e elaborações futuras. O cotejo das pesquisas em Copacabana e na região de Boston constituiu-se em um dos momentos cruciais de uma tentativa mais sistemática de análise de sociedades complexas.

Alguns antropólogos brasileiros vieram a realizar trabalhos junto à colônia portuguesa da Nova Inglaterra. Cabe mencionar,

1. *A utopia urbana: um estudo de antropologia social*. Rio de Janeiro, Zahar Eds., 1973; 5. ed., Rio de Janeiro, Jorge Zahar, 1989.

entre outros, Túlio Maranhão e Bella Bianco.[2] Não pretendo aqui discutir a bibliografia existente sobre o assunto e nem realizar uma reconstrução histórico-etnográfica. Quero registrar questões e problemas que assinalei no decorrer daquele limitado período de investigação e que *a posteriori* julgo terem sido importantes para o amadurecimento de certas idéias.

A minha atividade concentrou-se em Cambridge que, embora tenha identidade político-administrativa própria, faz parte da área de Boston de que está separada pelo rio Charles. A Universidade de Harvard e o MIT (Massachusetts Institute of Technology) são importantes na constituição da identidade cambridgiana, marcada por um forte *ethos* intelectual universitário. Como se sabe, a região de Boston como um todo está repleta de instituições universitárias.

O início dos anos 70 nos Estados Unidos caracterizava-se por uma forte efervescência política e cultural. Isso ficava evidente no cotidiano de Cambridge no verão de 1971. As manifestações contra a Guerra do Vietnã e a divulgação dos papéis do Pentágono somavam-se ao intenso dia-a-dia da população universitária sempre envolvida em shows musicais, exposições de artes plásticas, mostras cinematográficas de Orson Welles, Godard, Bergman, entre outros. O fato de ser período de verão diminuía um pouco a intensidade habitual da presença universitária, mas ainda assim era grande a efervescência. A área do Harvard Square constituía-se no centro desse movimento, com suas bancas de jornais e revistas, conjuntos de rock, grupos de atores amadores além da "street people", jovens hippies e variantes, mais ou menos ligados a drogas, incenso, flores e estilos de vida alternativos.

Assim como as áreas adjacentes às universidades de Berkeley, na Califórnia, e Columbia, em Nova Iorque, o Harvard Square era um *locus* privilegiado de encontro entre o mundo acadêmico-universitário e as diferentes manifestações de contracultura que desde, pelo menos, os meados dos anos 60 cresciam nos Estados Unidos.[3] Cruzavam-se ali candidatos ao Prêmio Nobel, grupos de

2. Maranhão, Túlio Persio. *The Pragmatics of Speach Act, Conflict, Consensus and Understanding*. Harvard University (tese de PhD em antropologia), 1981; de Bella Bianco, ver especialmente o seu vídeo *Saudade*.
3. Ver Rozsac, Theodor. *A contracultura*. Petrópolis, Vozes, 1972.

Hare Krishna, bolsistas de todas as partes do mundo, hippies, membros de seitas satânicas, turistas etc. A diversidade étnica, lingüística e cultural era reforçada por imigrantes diversos entre os quais se incluíam os portugueses que, de um modo geral, estavam ligados a atividades de serviços mais modestas como faxina e limpeza. Outros eram trabalhadores de construção civil em obras de prédios, reparos, estradas etc. Alguns que já tinham rudimentos de língua inglesa trabalhavam como garçons em bares e restaurantes disputando emprego com jovens estudantes à procura de um dinheiro extra. Em Cambridge, entre os portugueses, predominavam os açorianos, produto de onda imigratória mais recente, embora também fossem encontradas famílias do continente e de Cabo Verde.

*

Catarina, de quinze anos, era uma de nossas informantes. Chegara dos Açores há menos de dois anos. Chamava a atenção pela sua extraordinária beleza. Tinha um irmão um pouco mais moço e seus pais lutavam por empregos estáveis melhor remunerados. Estavam em plena luta pela realização do inesgotável *american dream*. No seu caso isso significava a possibilidade sempre mencionada de voltar aos Açores que não era excludente com o projeto de ter sucesso, permanecendo na América com conforto e acesso aos bens de consumo.

Catarina, como todos os seus pares, estudava em uma escola pública local. Ao contrário da maioria dos adultos, chegados na mesma época, os jovens não só eram bilíngües, como manifestavam forte resistência em falar português fora do seu ambiente doméstico familiar. Conviviam com seus colegas de escola nascidos nos Estados Unidos ou oriundos do Estado Associado de Porto Rico e de países como Itália, Colômbia, México, Formosa, Grécia, Brasil, entre outros. A escola pública freqüentada por Catarina, seu irmão e os conterrâneos era bem representativa da diversidade étnico-cultural da sociedade americana. Além dos estrangeiros cabe ressaltar o grande contingente "afro-american", como hoje é denominado, na área de Boston. Os cabo-verdianos viviam uma situação peculiar de identidade na medida em que eram portugueses, por um lado, falantes da língua e, por outro, eram negros. Assim, alguns viviam perto dos açorianos enquanto outros residiam em Roxbury, bairro negro de Boston.

Catarina vivia com sua família em Cambridge Street, a poucas quadras do Harvard Square, em um vizinhança habitada, predominantemente, por portugueses. Ali se viam mulheres açorianas vestidas de preto, que não falavam inglês e que praticamente não se afastavam do seu mundo doméstico. Os problemas de adaptação das pessoas adultas eram notórios. Enquanto os homens trabalhavam em serviços pesados, comumente mais de doze horas por dia, a maioria das mulheres ficava restrita às suas famílias. Algumas das mais jovens não-escolarizadas nos Estados Unidos também assumiam trabalhos de limpeza, ou de operárias fabris, com uma carga horária e de esforço bastante elevada. A criação de filhos pequenos e o cuidar dos parentes idosos dificultavam o engajamento das mulheres adultas recém-chegadas no mercado de trabalho. Não eram poucos os relatos sobre homens que morriam ou que ficavam incapacitados pelo excesso de esforço físico assim como os problemas psiquiátricos que acometiam, sobretudo, o universo feminino adulto. Certamente o relacionamento com os filhos adolescentes era um foco de tensão e conflito na medida em que estes, sobretudo através da escola, escapavam do controle familiar. Mas a educação formal era um dos instrumentos básicos do "american dream" e, legalmente, era inescapável dentro dos Estados Unidos. Nenhum dos imigrantes açorianos, nem os mais reclusos, poderia ficar intocado pela experiência americana, mesmo que fosse pelos piores aspectos como o da discriminação. De um modo ou de outro, todos os grupos que migraram para os Estados Unidos, depois dos *founding fathers*, sofreram algum tipo de discriminação. Na área da Nova Inglaterra, irlandeses, italianos, porto-riquenhos, além dos negros vindos principalmente do sul do país, foram alvo de restrições e agressões. Por sua vez, acionaram mecanismos discriminatórios uns contra os outros, como nos conflitos entre irlandeses e italianos. A variável religiosa também foi sempre um importante elemento de diferenciação como entre os "wasps" (white anglo-saxons protestants) e os católicos irlandeses, italianos e *latins*. A categoria *latin*, bastante abrangente, era usada inclusive em documentos oficiais, podendo incluir europeus como italianos, espanhóis, portugueses e também latino-americanos, do México, Argentina, passando por Porto Rico, Brasil, Venezuela, Cuba etc. *Latin* pode coincidir parcialmente com *spanish,* que abarca todos os grupos de língua espanhola. O caso dos negros de países hispano-americanos introduzia, inevitavelmente, complicações classificatórias. Este é um assunto bastante complexo, cheio de matizes e nuanças regionais e de classe social, entre outras. O fato é que os portugueses constituíram-se em uma minoria significativa na Nova Inglaterra, particularmente na área de Boston e adjacências. A sua presença já era secular, desde os primórdios da caça à baleia, aumentando consideravelmente a partir dos anos 60 do século XX devido às catástrofes naturais, seca e fome nos Açores. A importância das bases americanas nas ilhas atlânticas fortaleceu os laços e aumentou as possibilidades de trânsito. Não tenho condições de me estender sobre as peculiaridades culturais açorianas mas cabe salientar que os imigrantes vinham de aldeias, pequenas cidades, com poucos casos de experiência de vida metropolitana. A esmagadora maioria dos açorianos jamais tinha saído das ilhas antes de sua viagem para a América. Mas é importante sublinhar que não viviam como ilhéus isolados. Não só tinham acesso, mesmo que limitado, a alguns veículos da comunicação de massa como jornais e rádio, como conheciam pessoas, parentes, amigos, vizinhos, que já tinham estado ou até emigrado para os Estados Unidos.

Não disponho de números exatos mas no final dos anos 60 viviam centenas de milhares de imigrantes de origem portuguesa na Nova Inglaterra. Existiam diversas associações, possuíam jornais, estações de rádio de língua portuguesa, faziam festas, promoviam reuniões etc. Oscilavam entre o cultivo da memória e de uma identidade lusas e o projeto de inserção no *american way of life*. Dentro dessa ambigüidade sofriam discriminação em vários contextos. Ouvimos americanos se referirem aos *black portgue* como categoria geral para os imigrantes de língua portuguesa, incluindo continentais, açorianos e cabo-verdianos. Em situação típica de discriminação eram objeto de ironia e menosprezo, sendo considerados aptos apenas para o trabalho braçal. Essas observações provinham de americanos de diferentes origens. Enquanto pesquisávamos lá tivemos notícias de agressões e brigas entre jovens açorianos e outros grupos "étnicos" ou não.

Catarina contou-me que lia tudo que lhe caía nas mãos sobre os Estados Unidos enquanto ainda estava nos Açores (Ilha Terceira). Era fã de filmes americanos de todos os tipos. Já tinha noções de inglês quando aos treze anos chegou a Cambridge. Lá os aguardavam tios e primos que, chegados alguns anos antes, mantinham permanente correspondência com sua família. Aliás a atividade epistolar era bastante generalizada entre os portugueses, mantendo-os permanentemente em contato com a sua terra natal.[4]

Assim sendo, Catarina não desembarcou nos Estados Unidos totalmente desprovida de informações diante de um país desconhecido. Conhecera americanos nos Açores, turistas ou militares e civis que trabalhavam nas bases. Sem necessariamente assumir a teoria da aldeia global, é inegável que uma pessoa nascida em 1956 nas ilhas atlânticas portuguesas de algum modo vivia os efeitos de um processo de *globalização* já de raízes seculares. Catarina, depois de cerca de um ano em Cambridge, viveu um episódio que muito a marcou e que ilustra algumas das questões que gostaria de examinar com maior cuidado.

Um dia, depois das aulas, saiu com um grupo de colegas como fazia habitualmente. Uma das companheiras era também açoriana e os outros eram americanos. Ao todo eram meia dúzia, na faixa de quatorze a dezoito anos; três rapazes e três moças. Foram passear no carro de um deles rumando a uma das praias da área de Boston. A excursão era um pouco mais longa do que as habituais. Catarina admitiu que já tinha fumado *marihuana* (variante de maconha) com esses seus colegas. Disse que gostava e que usara algumas vezes sempre com amigos, nunca sozinha, e, principalmente, sempre longe da família. Ao chegarem à praia, depois de compartilharem um cigarro de maconha, tomaram, em seguida, uns comprimidos vermelhos. Após algum tempo Catarina passou a ter sensações inéditas com alteração de cores, dimensões,

4. Fenômeno comum a outros tipos de imigrantes. Ver, por exemplo, o trabalho clássico de Thomas, William I. e Znaniecki, Florian. *The Polish Peasant in Europe and America*. Nova York, Octagon Books, 1974.

olfato etc. Ao todo, calcula que tenha ficado mais de doze horas sob o efeito do que acreditava ser LSD (ácido lisérgico). Voltou para casa no final da tarde, levada pelos amigos que a deixaram na porta. Havia ingerido o ácido por volta das 13 horas, estando, portanto, em plena *trip*. Foi uma experiência muito ruim. Tentou disfarçar da família, indo para o seu quarto. Teve crises de riso e choro. Fechava os olhos e via figuras geométricas. Seu irmão foi vê-la e entendeu o que estava acontecendo, pois já tinha tomado LSD e mescalina. Ajudou-a a esconder dos pais dizendo que ela estava passando mal, com dor de cabeça. Catarina praticamente não dormiu, levantando de manhã para estudar ainda com sensações estranhas e muito angustiada. Acha que seus pais nada perceberam. Chegando à escola encontrou seus colegas de aventura, todos muito assustados, especialmente sua conterrânea. Aparentemente, fora a primeira vez para todos. Um dos rapazes havia comprado LSD de um freqüentador do Harvard Square que sempre oferecia algum tipo de droga. O irmão de Catarina, Victor, também nosso informante, disse que ele e seus amigos já tinham experimentado LSD e mescalina, além de haxixe e *marihuana*. Victor, de quatorze anos na época da pesquisa, se jactava de freqüentar pessoas e ambientes mais perigosos. Segundo ele, com um mês de Cambridge aos doze anos experimentou pela primeira vez LSD. Maconha era trivial, conhecida desde os Açores. Catarina, por sua vez, já soubera de conhecidos que tinham tomado ácido mas afirmou nada conhecer das experiências do irmão além do uso de *marihuana*, bastante disseminado entre os alunos de sua escola. Ela própria fora introduzida ao uso dessa droga nos Estados Unidos, em um grupo de colegas onde vários já fumavam há algum tempo. Nos Açores ouvira falar de pessoas que usavam maconha, mas acreditava ser bem raro esse uso. Já na escola americana Catarina e seus amigos *aprenderam*, nos termos de Howard S. Becker, a consumir *marihuana* através do seu círculo de pares.[5] Assim o aprendizado foi tranqüilo, sem traumas, numa atividade grupal. Catarina evitava fumar em casa, limitando-se

5. Ver Becker, Howard S. "Becoming a marihuana user", in *Outsiders: studies in the sociology of deviance*. Nova York, The Free Press, 1963, p. 41-58.

aos programas com os colegas, eventualmente na própria escola. A experiência com o ácido fora, na sua avaliação, completamente diferente. Ninguém do grupo conhecia direito os efeitos da droga, a demora das sensações e as suas características em geral. Avaliou o perigo que correram andando de carro em estradas movimentadas sob o efeito do alucinógeno. Chegaram a errar o caminho e andaram algum tempo no Massachusetts Turnpike, auto-estrada de tráfego mais intenso da Nova Inglaterra. Poderiam ter ido parar em Nova York ou serem detidos pela polícia. Afirmou que nunca mais iria tomar LSD ou qualquer droga mais forte. A experiência de Victor era diferente. Fizera a sua primeira *trip* de LSD com amigos mais velhos e veteranos de outras viagens. Suas sensações iam sendo comentadas e compartilhadas, segundo ele, num clima de bom humor. Em outras palavras, seu aprendizado com ácido assemelhava-se ao de Catarina com *marihuana*, embora Victor fizesse questão de afirmar as diferenças classificando de "loucura" a aventura do grupo de amigos da irmã. Acusou particularmente o dono do carro que comprara a droga de irresponsável e exibicionista. Disse que ia procurá-lo para conversar e sublinhou o fato de justamente ele ser o mais velho envolvido na aventura.

Não conheci pessoalmente os outros participantes da excursão a não ser a segunda jovem açoriana com quem não conversei sobre o assunto.

*

As sociedades complexas moderno-contemporâneas são constituídas e caracterizam-se por um intenso processo de interação entre grupos e segmentos diferenciados. A própria natureza da complexidade moderna está indissoluvelmente associada ao mercado internacional cada vez mais onipresente, a uma permanente troca cultural através de migrações, viagens, encontros internacionais de todo o tipo, além do fenômeno da cultura e comunicação de massas. As fronteiras entre os Estados-Nações são cruzadas de todos os modos por relações econômicas, de poder e culturais em quaisquer níveis. Não se trata de dizer que os Estados-Nações são anacrônicos e que sua existência seja contraditória com a globalização do mundo moderno. São níveis de realidade e fenômenos relacionados mas com códigos e lógicas específicos.[6] Inegavelmente existe tensão e conflito entre esses níveis coexistentes, reforçando mais uma característica da complexidade.

Essa problemática está presente nas biografias e trajetórias individuais. Os indivíduos modernos nascem e vivem dentro de culturas e tradições particulares, como seus antepassados de todas as épocas e áreas geográficas. Mas, de um modo inédito, estão expostos, são afetados e vivenciam sistemas de valores diferenciados e heterogêneos. Existe uma mobilidade material e simbólica sem precedentes em sua escala e extensão.

Esta afirmativa vale mais como tendência geral do que como uma tentativa de generalização dogmática. Por outro lado, a construção de identidades básicas subordina-se a constelações culturais singulares e a conjuntos de símbolos delimitáveis. O que está em jogo é um processo histórico abrangente, e a dinâmica das relações entre os sistemas culturais com repercussões na existência de indivíduos particulares.

A modernidade no Ocidente está associada ao desenvolvimento de ideologias individualistas. Diferentes autores como M. Weber, G. Simmel e L. Dumont, apesar de perspectivas próprias e, em certos pontos, antagônicas, compartilham a percepção de uma transformação no Ocidente a partir, pelo menos, do Renascimento, que através de matizes específicos configura um quadro singular na história da humanidade. Simmel, em particular, qualificou diferentes tipos de individualismo, situando-os historicamente ao mesmo tempo que assinalava suas possíveis coexistência e combinações.[7]

As ideologias da igualdade e da singularidade aparecem, de um modo específico, a partir do século XVIII como diferentes

6. Ver, por exemplo, Giddens, Anthony. *The Consequences of Modernity*. Stanford, Stanford University Press, 1990, para uma discussão rica desta temática.

7. Ver Simmel, Georg. *On individuality and social forms*. Donald Levine (org.), Chicago, University of Chicago Press, 1971.

expressões de um *ethos* moderno. Por outro lado, frisamos a necessidade de ver a hierarquia não apenas como uma sobrevivência da sociedade tradicional, mas como um poderoso mecanismo sociológico atuando permanentemente com maior ou menor visibilidade sobre toda a vida social.[8] As diferentes combinações entre ideologias holistas e individualistas constituem uma das marcas características dos processos sociais que tenho procurado analisar nos meus trabalhos.[9] Um dos conceitos que considero fértil para lidar com casos como o que estamos examinando é o de *projeto*. Beneficiei-me das obras de diversos autores mas vem principalmente de A. Schutz a influência principal nessa direção.[10] *Projeto*, nos termos deste autor, é a *conduta organizada para atingir finalidades específicas*. Para lidar com o possível viés racionalista, com ênfase na consciência individual, auxilia-nos a noção de *campo de possibilidades* como dimensão sociocultural, espaço para formulação e implementação de *projetos*. Assim, evitando um voluntarismo individualista agonístico ou um determinismo sociocultural rígido, as noções de *projeto* e *campo de possibilidades* podem ajudar a análise de trajetórias e biografias enquanto expressão de um quadro sócio-histórico, sem esvaziá-las arbitrariamente de suas peculiaridades e singularidades.

*

Catarina, como já disse, era filha de uma família de imigrantes açorianos chegada há cerca de dois anos aos Estados Unidos, na época da pesquisa. Pertenciam a uma pequena classe média no país de origem. No novo país, seu pai trabalhava frenetica-

8. Ver a obra de Louis Dumont, especialmente o clássico *Homo hierarchicus: essai sur le système des castes*. Paris, Gallimard, 1966.
9. Ver especialmente Velho, Gilberto. *Individualismo e cultura: notas para uma antropologia da sociedade contemporânea*. Rio de Janeiro, Zahar, 1981; 3. ed., Jorge Zahar, 1994.
10. Ver de Schutz, Alfred. "The problem of social reality", in *Collected Papers*. The Hague, Martius Nijhoff, v. 1, 1970-1971; e *Fenomenologia e relações sociais*. Rio de Janeiro, Zahar, 1979.

mente, fazendo todos os tipos de serviços. Tinha um emprego "white collar" na administração de uma fábrica e estava sempre procurando fontes de renda extras. Sua mulher ficava em casa, cuidando dos serviços domésticos, com precário conhecimento de inglês e sem habilitações profissionais de qualquer espécie.

Havia, claramente, um *projeto* da família de Catarina de melhorar de vida nos EUA. A decisão de emigrar fora longamente acalentada pelos quatro membros da família nuclear, os pais e os dois filhos, dentro de uma rede de relações em que essa idéia era disseminada. Vários parentes tinham-lhes precedido, assim como amigos e vizinhos. Ao desembarcar em Boston eram aguardados e foram acolhidos por um grupo de conterrâneos. Alugaram um apartamento em um prédio habitado quase que exclusivamente por açorianos, depois de passarem algum tempo na casa de parentes. Nunca sofreram privações, mas o apoio dos parentes e amigos fora sempre essencial.

Um *projeto* coletivo não é vivido de modo totalmente homogêneo pelos indivíduos que o compartilham. Existem diferenças de interpretação devido a particularidades de status, trajetória e, no caso de uma família, de gênero e geração. O universo de imigrantes portugueses na Nova Inglaterra, como se pode ver, por exemplo, no vídeo *Saudade* de Bella Bianco, tem significativas diferenças internas. O tempo passado e época da chegada são fundamentais. Pessoas que imigraram no início dos anos 50 apresentaram, em muitos aspectos, vivências e, inevitavelmente, memória e avaliação distintas dos recém-chegados. As diferenças de origem regional também estabelecem fronteiras evidentes. Com certeza, no caso em pauta, a identidade açoriana era claramente distinguida da portuguesa mais genérica. Mais ainda, depois de algum convívio, percebiam-se as particularidades mais ou menos valorizadas das diferentes ilhas dos Açores — Faial, Terceira, São Miguel etc. O modo de falar, o sotaque, eram uma das marcas de diferenciação. As festas, procissões e associações dramatizavam o jogo de identidades naquelas circunstâncias.

É impossível omitir singularidades de Catarina. Como já afirmei, era, sob quaisquer padrões lusos, americanos ou brasileiros, muito bonita. Dizia, para explicar certos traços fisionômicos seus, ter sangue francês. Não sei quanto o passar dos anos distorce minhas lembranças, mas sua beleza era radiosa. Infelizmente não disponho de nenhuma foto sua. O fato é que chamava a atenção em qualquer ambiente e era óbvio que fazia muito sucesso na escola. De um modo geral, aparentava timidez e mantinha um ar recatado. Nós a conhecemos através do irmão que era bastante desinibido e um prestimoso informante. Diferente da irmã, falava muito, gostava de contar casos, particularmente os relacionados a sua atividade sexual.

Catarina, como suas amigas, transitava bastante por Cambridge. Sua casa ficava a uma *walking distance* do Harvard Square, que costumava freqüentar. Como disse antes, esse local era, como ainda é, o grande foco de sociabilidade da área, multicolorido e animadíssimo. Vários grupos de jovens estavam sempre perambulando por ali. Foi em Harvard Square, inquestionavelmente, que observei uma das mais intensas interações entre grupos, segmentos e indivíduos diferentes, contrastantes no seu modo de apresentação, vestuário e discurso. Havia um *ethos* dominante caracterizado por uma valorização do *individualismo da diferença, qualitativo* conforme a formulação de Simmel,[11] com um esforço deliberado na construção de um estilo original. Mas tinham em comum, justamente, o interesse pelo espetáculo que ali ocorria. O que era chamado no Rio de Janeiro daquela época de "paquera" e, hoje, de "azaração", era praticado durante e entre shows, performances, happenings e demais eventos. Em determinadas horas do dia, com o forte calor do verão, podia-se dizer que era tudo uma grande festa, com uma dimensão carnavalesca.

Catarina andava por ali quase sempre acompanhada de amigas, no mínimo uma, podendo até formar um grupo de cerca de meia dúzia. Eram colegas de escola, açorianas ou não. Como já mencionei, os jovens imigrantes, especificamente os adolescentes, evitavam falar português em público. Mesmo conosco, preferiam falar em inglês demonstrando algum constrangimento quando primeiramente a eles nos dirigimos em português. Mais adiante,

11. Simmel. op. cit.

em conversas mais restritas, poderiam espontaneamente começar a falar português, entremeado de palavras em inglês como "fomos *drivando* a New Bedford..." Isso aliás não era exclusivo dos açorianos. No Texas, na mesma época, os *mexican-americans* jovens falavam espanhol nas situações em que eram nitidamente maioria, usando o inglês em contextos em que pudesse haver qualquer ambigüidade. É claro que tanto no caso dos açorianos como no dos *mexican-americans*, encontravam-se indivíduos que ainda não falavam inglês suficiente para uma interação minimamente efetiva. Era, por outro lado, evidente, no caso dos jovens açorianos, a preocupação de falar sem sotaque, de parecerem americanos. Este também é um problema geral e mais complexo que não era vivido só pelos falantes de português. Os imigrantes mais velhos dificilmente escapavam de denunciar sua origem ao falarem. Entre os portugueses, boa proporção dos adultos se exprimia com grande dificuldade e com forte sotaque. Obviamente, a opção de falar ou não português estava relacionada a contextos socioculturais particulares. De qualquer forma, há uma evidente margem de escolha no já referido jogo de papéis e identidade.

Catarina e suas amigas saíam com rapazes, iam a festas, ao cinema, faziam passeios etc. Não sei bem que tipo de namoro tinham. Parecia-me que eram bastante bem-comportados se comparados com a juventude meio alternativa que se via pelas ruas de Cambridge. Creio que a socialização e o controle familiar mais tradicionais desempenhavam um papel importante, embora com muitas contradições e ambigüidades. Basta lembrar que Victor, o precoce irmão caçula de Catarina, a acompanhava em muitos programas sem exercer propriamente o papel de censor, representante dos bons costumes. Na realidade, ele exercia um papel de iniciativa e liderança na busca de programas novos e mais ousados. Sem dúvida, conhecia bem melhor o mundo das drogas de Cambridge do que Catarina. Era curioso pensar sobre quem tomava conta de quem, ou se essa questão efetivamente se colocava.

Indubitavelmente, a viagem para os EUA alterara drasticamente a vida desses jovens e de suas famílias. Embora não vivessem antes em aldeias isoladas, era certamente um modo de vida muito distinto do que tinham encontrado na área de Boston, com todas as peculiaridades de um grande centro urbano no coração do mundo do consumo, da tecnologia, da variedade e do cosmopolitismo. O preço que os pais pagavam pelo sonho americano era evidente. Como mencionei, enquanto o pai de Catarina trabalhava de modo frenético, a mãe levava uma vida reclusa, quase sem contato com outras pessoas que não fossem açorianas. Os jovens, em sua maioria, lançavam-se com avidez na descoberta da sociedade americana. Victor, por seu ímpeto, talvez fosse um caso limite. De qualquer forma, no momento em que passavam a freqüentar a escola americana abriam-se todos para perspectivas novas, quase revolucionárias. Ficava evidente que não era um processo linear, sem hesitações e complicações. As tentativas de controle por parte dos pais não pareciam ser muito efetivas. A falta de tempo e, sobretudo, a dificuldade de lidar com padrões novos, desconhecidos, enfraquecia a capacidade de comandar a vida dos filhos.

*

Sabemos que nenhuma sociedade é efetivamente simples ou homogênea. Mesmo nas de menor escala, encontra-se alguma diferenciação, seja de natureza sociológica, seja a nível dos universos simbólicos. Pode-se dizer que a própria possibilidade de vida social reside na interação das diferenças, com a conhecida problemática antropológica da troca e da reciprocidade. O que está em jogo, constantemente, é a unidade social com que se trabalha, de modo mais ou menos arbitrário.

No caso das sociedades complexas modernas, essas características assumem outras proporções e significados. A multiplicação e a fragmentação de domínios, associadas a variáveis econômicas, políticas, sociológicas e simbólicas, constituem um mundo de indivíduos cuja identidade é colocada permanentemente em cheque e sujeita a alterações drásticas. O trânsito intenso e freqüente entre domínios diferenciados implica adaptações constantes dos atores, produtores *de* e produzidos *por* escalas de valores e ideologias individualistas constitutivas da vida moderna. Essa situação, como já percebia Simmel no início do século, é particularmente aguda nas metrópoles. Mas o desenvolvimento da comunicação de massas e dos processos globalizadores expande e generaliza essa problemática.

O caso de Catarina ilustra e pode ajudar a pensar as implicações desse estado de coisas. Açoriana, até certo ponto pré-socializada na cultura americana, desembarca com sua família nos EUA e, rapidamente, se vê envolvida e participando de um estilo de vida novo e cheio de contradições. Vive com seus pais e parentes, enquanto vai à escola onde entra em contato com formas de sociabilidade imprevistas. O uso de drogas, bastante disseminado, traz novos modos de definição da realidade, acompanhando as alterações de consciência. Enquanto sua mãe e as mulheres mais velhas, em geral, restringiam-se ao mundo doméstico como uma espécie de refúgio diante do desconhecido, Catarina e seus amigos lançavam-se à descoberta do novo, movidos por curiosidade e espírito de aventura. Não são, no entanto, atores-sujeitos na sua plenitude, utilizando o livre-arbítrio. São empurrados por forças e circunstâncias que têm de enfrentar e procurar dar conta. Os mecanismos tradicionais de controle familiar parecem ter pouco peso diante de situações novas. Mesmo com a citada pré-socialização surgem problemas imprevistos como no caso do LSD, com grande potencial de perturbação. Esse fazer e refazer de mapas cognitivos é permanente, com implicações imediatas na autopercepção e representação individuais. Catarina transita entre sua família e seu grupo de amigos, colegas de escola. Percorre em poucos minutos o caminho que vai da vizinhança portuguesa até o Harvard Square. São mundos diferenciados, com padrões contrastantes, concepções particulares, olhares e prioridades distintos. Ela aprende a lidar com essa situação, desenvolvendo não só estratégias racionais mas, sobretudo, uma capacidade de adaptar-se às circunstâncias. As escalas de valores de sua família e de seus amigos não são, necessariamente, antagônicas. Lidam com aspectos diferentes da realidade ou estabelecem recortes próprios nas suas visões de mundo. O fato dos pais não perceberem que Catarina estava sob o efeito de um alucinógeno, ao mesmo tempo que Victor entendia, é a confirmação das distintas percepções e "attention à la vie". Caso descobrissem, provavelmente haveria alguma perplexidade e possível crise. Estudei outras situações de jovens acusados de usarem drogas com conseqüências bastante funestas nas relações familiares.[12] No caso das famílias brasileiras por mim pesquisadas tratava-se evidentemente de um conflito de *projetos*, de caráter dramático e com acusações desqualificantes. Sem dúvida poderia também haver problemas nas famílias açorianas. Mas Catarina descobriu que podia não só com *marihuana*, mas até com LSD, não perder inteiramente o controle da situação. Não se tratava, simplesmente, de "enganar os pais", mas de poder transitar entre mundos distintos com alguma segurança. Da mesma forma, a sua "presentation of self" nos termos de E. Goffman[13] diferia quando estava com os amigos, longe do olhar familiar. De certa forma, estamos falando da conhecida teoria dos papéis sociais, mas quando lidamos com situações tão dramaticamente contrastantes, é necessário estar atento às possibilidades culturais dessas transformações.

Os *projetos* individuais sempre interagem com outros dentro de um *campo de possibilidades*. Não operam num vácuo, mas sim a partir de premissas e paradigmas culturais compartilhados por universos específicos. Por isso mesmo são complexos e os indivíduos, em princípio, podem ser portadores de *projetos* diferentes, até contraditórios. Suas pertinência e relevância serão definidas contextualmente. No caso de uma jovem de quinze anos isso pode aparecer de um modo mais dramático na medida em que se caracteriza uma aparente ruptura com uma escala de valores anterior que a englobaria através da família. Mas efetivamente, esse mencionado jogo de papéis se realiza acompanhando a emergência de um *projeto* pessoal de alguma singularidade. Catarina compartilhava com seus pais o desejo de "fazer a América". Mas enquanto eles enfatizavam o bem-estar material e a ascensão social, seus filhos fascinavam-se com a idéia de liberdade. A possibilidade de descobrir e experimentar sensações novas, conhecer

12. Ver Velho, Gilberto. "Acusations, family mobility, and deviant behaviour". *Social Problems*, vol. 23, n. 3, fevereiro de 1976, p. 268-75.
13. Ver Goffman, Erving. *The Presentation of Self in Everyday Life*. Nova York, Doubleday Anchor Books, 1959.

pessoas diferentes, aparecia com nitidez nas suas declarações e atitudes. Catarina dizia que pretendia ir para a universidade estudar e ter uma profissão. Mas o que mais a entusiasmava era a possibilidade de mudar radicalmente o seu modo de vida, conhecendo pessoas e lugares novos. É indiscutível que a variável geracional desempenha um papel crucial no estabelecimento dessa descontinuidade. Na época, nos EUA, falava-se em não confiar em ninguém com mais de trinta anos. Poucas vezes sublinhou-se tanto as diferenças etárias, criando mundos à parte. O conhecimento e o uso de drogas foram instrumentos cruciais para o estabelecimento dessas fronteiras ao lado da música, do amor livre etc. Catarina participava lateralmente dessa ideologia mas não rejeitava laços e lealdades familiares, na medida em que morava com os pais compartilhando situações, crenças e hábitos. Sem dúvida, a rede de sociabilidade dos imigrantes portugueses tinha um peso importante na sua vida. No entanto, aprendeu a mudar de papel de acordo com o contexto. Não se deve entender esse aprendizado como um esforço deliberado e calculado. Efetivamente, havia uma transformação, uma espécie de *metamorfose*.[14] A base desse processo foi a emergência de um *projeto* seu que, aos poucos, pode ser distinguido do familiar, em função de interações e experiências inéditas. A escola era o ponto de encontro de pais e filhos, como entrada estratégica para a sociedade americana. Os possíveis efeitos nocivos, sob o ponto de vista dos mais velhos, eram suplantados pela importância do acesso à educação formal, ao diploma e às possibilidades abertas. Assim, desenvolve-se um processo de definição e *negociação da realidade*, implícito ou explícito, possibilitando a manutenção da convivência familiar.

As trajetórias dos indivíduos ganham consistência a partir do delineamento mais ou menos elaborado de *projetos* com objetivos específicos. A viabilidade de suas realizações vai depender do jogo e interação com outros *projetos* individuais ou coletivos, da natureza e da dinâmica do *campo de possibilidades*.

14. Ver Capítulo I deste livro.

Os *projetos*, como as pessoas, mudam. Ou as pessoas mudam através de seus *projetos*. A transformação individual se dá ao longo do tempo e contextualmente. A heterogeneidade, a globalização e a fragmentação da sociedade moderna introduzem novas dimensões que põem em xeque todas as concepções de identidade social e consistência existencial, em termos amplos.

III

INDIVÍDUO E RELIGIÃO NA CULTURA BRASILEIRA

SISTEMAS COGNITIVOS E SISTEMAS DE CRENÇA[1]

A coexistência de diferentes sistemas cognitivos tem sido variável fundamental para caracterizar sociedades modernas, distinguindo-as daquelas em que a predominância nítida ou quase exclusividade de *um sistema* sublinharia sua maior homogeneidade.

Sabemos que todo sistema cognitivo é por definição complexo, e, por isso mesmo, a dualidade sociedade complexa e não-complexa é, pelo menos, discutível. Uma sociedade pode estar ancorada a um sistema que consideramos único mas cuja riqueza e densidade não nos permitiria classificá-lo de *simples*. O caso da Índia, estudado, entre outros, por Bouglé e Dumont, é um bom exemplo de um sistema social e ideológico altamente complexo que, embora não exclusivo, operou com vigorosa predominância durante séculos. No entanto sabemos também que o hinduísmo apresentava variações, seitas, particularidades e dissidências. Até que ponto pode-se afirmar que essas diferenciações expressam um só sistema? A crença na reencarnação e nas noções de puro e impuro, a aceitação do sistema de castas poderiam ser consideradas, no caso, como pilares básicos de sustentação de uma só sociedade e cultura. Outro exemplo significativo é o da Europa Ocidental durante a Idade Média. O cristianismo constituiu uma ordem moral, uma escala de valores e um sistema de crenças

1. Publicado originalmente em *Novos Estudos — CEBRAP*, n. 31, outubro de 1991, p. 121-9.

bastante abrangente. Mas o trabalho de historiadores como Duby e Le Goff chama a atenção para a variedade e mesmo vigorosa diferenciação dentro do período. Há, por exemplo, conflitos dentro da Igreja e entre o clero e a aristocracia sobre a natureza do casamento e da família.[2] Desde, pelo menos, o século X surgem divergências sérias entre o papado e as nascentes monarquias, com acusações, excomunhões etc., antecipando conflitos que assumiram proporções de rompimento séculos adiante. Há concepções e opiniões diferentes sobre moral, pecado e sobre direitos e prerrogativas dos diferentes segmentos sociais. No entanto, compartilha-se a crença em Deus e na alma, apesar das heresias e das múltiplas discussões sobre sua natureza e essência. Ou seja, existem temas e problemas comuns que são considerados importantes e cruciais. Até que ponto isso define um sistema cognitivo? O que é necessário para o estabelecimento de fronteiras nítidas que possam distinguir um sistema de outro? Parece ser precipitado igualar uma sociedade a um sistema cognitivo. Este pode atravessar ou abranger diversas sociedades e uma dessas, por sua vez, pode ser ancorada a mais de um sistema.

Até agora, propositalmente, não defini o que entendo por *sistema cognitivo*. De certa forma procuro me aproximar da noção com uma certa cautela pois está longe de ser um conceito claro e preciso. Geertz distingue visão de mundo de *ethos* enquanto Bateson diferenciou *eidos* de *ethos*. *Grosso modo*, a ênfase nos aspectos cognitivos recai em *visão de mundo* e *eidos* enquanto *ethos* estaria associado a estilo de vida, aspectos afetivos, estéticos etc. Estou aproximando Geertz de Bateson sabendo que há grandes diferenças em suas abordagens, mas em ambos, de alguma maneira, a dimensão *cognitiva* é dissociada de outras dimensões ou variáveis. Entendo que essa separação é efetivada com uma dose consciente de arbitrariedade mas obviamente não é gratuita. A dicotomia cognição x emoção é clássica no pensamento ocidental. Gostaria de frisar que nem sempre será operacional e eficiente para as nossas finalidades, na medida em que tem um *a priori* que pode

2. Duby, Georges. *Le Chevalier, la femme et le prêtre*. Paris, Hachette, 1981, especialmente Capítulos I, II e III.

não se aplicar a diferentes universos culturais. Parece-me que a noção de sistema cognitivo é indissociável da de sistema de crenças e esta, por sua vez, implica imediatamente emoção, sentimento. Por exemplo, a crença em espíritos associa-se à emoção da presença do espírito e à possibilidade de transe ou da possessão. Talvez eu preferisse utilizar *sistema de crenças* para expressar a indissolúvel vinculação entre conhecimento e emoção e/ou afetividade. Pode-se alegar que a vantagem de empregar *sistema cognitivo* seja o privilegiamento da *lógica* que sustenta uma visão de mundo. Nesse caso, por exemplo, as noções de tempo e espaço estariam mais adequadamente abarcadas pelo *cognitivo*. Mas tudo isso parece problemático, pois subordina o que está sendo chamado de *cognitivo* a pressupostos de *racionalidade* possivelmente etnocêntricos. Será que espaço e tempo estariam no território do *lógico* por serem mensuráveis dentro de nossa cultura? Mas sabemos também que há diferentes maneiras de representar tempo e espaço em outras culturas, e mesmo na nossa podem ser encontradas diferenças significativas.[3]

Lingüistas como Basil Bernstein procuram estabelecer as relações entre estrutura social, formas de linguagem e comportamento focalizando as diferenças de código dentro da sociedade moderna.[4] Essas implicariam, inclusive, diferenciação a nível do próprio processo cognitivo. A ênfase excessiva na verbalização foi criticada por autores como Hill e Varenne, que chamam a atenção para "(...) o comportamento paraverbal e não-verbal dos participantes, sua história comum e os mundos físico e cultural nos quais eles se comunicam".[5] Com isso, relativizam as noções de código restrito e elaborado mostrando inclusive que o silêncio também

3. Ver, por exemplo, o trabalho de Barbosa, Lívia Neves de Holanda. *Estações do ano: estudo preliminar das representações*. Rio de Janeiro, PPGAS/Museu Nacional/UFRJ, 1981.

4. Ver, por exemplo, Bernstein, Basil. "Theoretical studies towards a sociology of language", in *Class, Codes and Control*. Londres, Routledge & Kegan Paul, v. 1, 1971.

5. Hill, Clifford A. e Varenne, Hervé. "Family Language and Education: the sociolinguistic model of restricted and elaborated codes". *Social Science Information* (SAGE), v. 20, n. 1, Londres, 1981, p. 187-228:217.

deve ser entendido como linguagem, enfatizando a importância da definição de contextos. Nos termos mencionados anteriormente parece-nos, portanto, problemática a distinção de um *cognitivo* específico separado de seu contexto cultural no sentido mais amplo, envolvendo aspectos "afetivos", "estéticos" e "emotivos". A própria construção de paradigmas, como mostra, por exemplo, Victor Turner, se dá em um processo em que as crenças estão indissoluvelmente associadas a emoções socialmente reconhecidas e valorizadas.[6] A noção de eficácia simbólica, por sua vez, baseia-se na capacidade de envolver indivíduos e grupos de uma forma totalizante. Está aí toda a teoria de rituais trabalhando nessa direção.

*

Cabe ainda insistir em como identificamos um sistema cognitivo ou de crenças. Podendo estar sendo óbvio para muitos, insisto em que vejo sistema como uma noção, talvez um conceito, mas necessariamente uma construção do observador. Ou seja, um sistema, seja cognitivo, de crenças, político, econômico etc. não é dado empiricamente. Não é um fenômeno natural. O universo social observado pode não estabelecer as mesmas distinções em domínios que o cientista social faz ao demarcar o território de suas especializações. Mas é correto falar em sistema na medida em que o pesquisador demonstre através da análise de seus dados que existem categorias, valores, temas, atividades, que se articulam, que fazem sentido uns em relação aos outros. Vale lembrar os importantes trabalhos de Carlo Ginzburg em que busca identificar sistemas de crenças operando em uma profundidade cultural e extensão geográfica que de muito ultrapassam os limites históricos e antropológicos convencionais.[7] A fronteira sempre implicará algum grau de arbi-

6. Turner, Victor. *Dramas, Fields and Metaphors*. Ithaca, Cornell University Press, 1974.
7. Ver especialmente Ginzburg, Carlo. *História noturna: decifrando o sabá*. São Paulo, Companhia das Letras, 1991.

trariedade mas, no caso, será construída *a partir* da avaliação de uma experiência social e dos significados a ela atribuídos por um grupo ou segmento particular. No entanto será uma construção do pesquisador. O grau de proximidade ou de afastamento das representações vigentes no universo estudado não é necessariamente parâmetro de correção científica. Essas serão, de certa forma, matéria-prima para a análise e formulação do cientista. A identificação de relações culturais não explicitadas no nível consciente de universos sociais especificados é uma das possibilidades da investigação. Enfatiza-se, com todo vigor, que a descrição rica das representações e crenças em pauta é etapa indispensável para eventuais elaborações e construções teóricas mais ambiciosas. Mais ainda, o modelo do investigador passa necessariamente pelas representações e modelos do grupo pesquisado.

Quando falamos, portanto, em comparação de sistemas é preciso verificar com cuidado os nossos objetivos. Podemos comparar descrições e podemos comparar modelos construídos necessariamente a partir de descrições. Para que isso se efetive com maior eficácia é necessário esclarecer e precisar um pouco melhor os conceitos e noções utilizados, sob pena de ficarmos confundidos por uma Babel terminológica.

*

Transe, possessão e mediunidade são fenômenos religiosos recorrentes na sociedade brasileira. No candomblé, na umbanda, no espiritismo, no pentencostalismo e em outros grupos religiosos, entidades, espíritos, guias, o Espírito Santo, orixás descem ou sobem, se incorporam, se comunicam etc. através de cavalos, aparelhos, ou do que costumamos denominar de indivíduo agente empírico, unidade significativa da sociedade ocidental moderna nos termos de Louis Dumont.[8]

8. Ver especialmente Dumont, Louis. *Homo hierarchicus: essai sur le système des castes*. Paris, Gallimard, 1966; e *Homo aequalis: genèse et épanouissement de l'idéologie économique*. Gallimard, Paris, 1977.

Para uma população de mais de cento e trinta milhões de habitantes, parece ser um cálculo modesto dizer que cerca de metade participa diretamente de sistemas religiosos em que a crença em espíritos e na sua periódica manifestação através dos indivíduos é característica fundamental. Esse tipo de dado aparece muito precariamente em estatísticas e censos. Portanto é muito difícil trabalhar com números mais precisos. Mas parece-me que o mais fundamental não é tanto saber quantas pessoas na sociedade brasileira se identificam publicamente como umbandistas, espíritas etc., mas ser capaz de perceber o significado desse conjunto de crenças e sua importância para *construções sociais da realidade* em nossa cultura.[9]

Por exemplo, oficialmente a grande maioria da sociedade brasileira é constituída de católicos fiéis à Igreja de Roma. No entanto, são infindáveis e freqüentes as situações em que católicos recorrem a centros espíritas, terreiros de umbanda e candomblé. Quando não o fazem diretamente, usam parentes e amigos como intermediários. Doença, emprego, amor são algumas das questões que podem levar católicos, protestantes tradicionais, judeus, ateus, agnósticos etc. a procurar apoio, conselho e solução com espíritos de luz, pretos-velhos, Ogum, Xangô, e, por que não, exus e pombas-giras. Sabe-se também que a participação nesses rituais e nessas crenças está bastante disseminada em termos de estratificação social. De uma maneira muito vaga, pode-se dizer que há alguma tendência a uma certa concentração em camadas de baixa renda, mas o espiritismo, por exemplo, tem nas camadas médias uma clientela mais do que significativa, talvez até típica.[10] As clássicas rotulações de ignorância, atraso, barbárie, sobrevivências tribais africanas já foram devidamente tratadas e dissecadas.[11] Cabe ressaltar que o acesso à educação universitária e a presença

9. Berger, Peter L. e Luckman, Thomas. *A construção social da realidade: tratado de sociologia do conhecimento*. Petrópolis, Vozes, 1973; e Schutz, Alfred. "The problem of social reality", in *Collected Papers*. The Hague, Martius Nijhoff, vol. 1, 1970-1971.

10. Viveiros de Castro Cavalcanti, Maria Laura. *O mundo invisível: cosmologia, sistema ritual e noção de pessoa no espiritismo*. Rio de Janeiro, Zahar, 1983.

11. Ver Maggie, Yvonne. *Guerra de orixá: um estudo de ritual e conflito*. Rio de Janeiro, Zahar, 1975.

de profissionais liberais também foram exaustivamente registrados por vários pesquisadores.[12]

*

Não pretendo esvaziar a especificidade das diferentes religiões e cultos acima mencionados. As pesquisas realizadas, de um modo ou de outro, assinalam as peculiaridades de ser umbandista ou espírita.[13] Existem significativas diferenças em termos de *ethos* e visão de mundo. A definição de racionalidade, as preocupações éticas, as técnicas do corpo, a importância do livre-arbítrio são algumas das variáveis mais relevantes nesse processo de diferenciação.

Assim, não se trata de defender a tese da existência de uma vasta e indiferenciada "religião popular" onde a crença em espíritos constituiria a base e o eixo definidores, fazendo com que as particularidades se diluíssem.[14] Pelo contrário, as diferentes formas de definir, classificar, representar e identificar as relações com o mundo dos espíritos, guias, santos, orixás expressam fronteiras cuja importância é enfatizada pelos grupos em pauta. Isso é elemento fundamental para o trabalho do antropólogo. Ou seja, como demonstrou Viveiros de Castro Cavalcanti, "ser espírita" corresponde a uma participação em um sistema de crenças e cosmologia complexos e na elaboração de uma identidade amarrada a uma escala de valores específica e densa. Descartar-se dessa problemática, para procurar caracterizar uma religião de transe genérica, faria com que empobrecêssemos o universo de representações e relações sociais constituídas por esses grupos religiosos. Não é conveniente esquecer o recente e forte desenvolvimento

12. Ver, por exemplo, Brown, Diana. *Umbanda: politics of an urban religious movement*. Nova York, Columbia University, 1974; e Lossio Seiblitz, Zélia M. Dentro de um ponto riscado: estudo de um centro espírita na zona norte do Rio de Janeiro, Rio de Janeiro, PPGAS/Museu Nacional/UFRJ (dissertação de mestrado), 1979.

13. Por exemplo, ver Maggie, op. cit., e Viveiros de Castro Cavalcanti, op. cit.

14. Ver também Birman, Patrícia. *Feitiço, carrego e olho grande, os males do Brasil são: estudo de um centro umbandista numa favela do Rio de Janeiro*. Rio de Janeiro, PPGAS/Museu Nacional/UFRJ (dissertação de mestrado), 1980.

do catolicismo carismático, que pode estar expressando uma vertente da Igreja de Roma mais próxima a manifestações extáticas. No entanto parece evidente a existência de uma marcante identidade própria contrastiva com outras religiões. Por outro lado, os conflitos entre "igrejas eletrônicas" e fiéis de umbanda e candomblé são outro exemplo da forte competição e antagonismo que podem aparecer no universo da religiosidade popular.

O ponto fundamental é perceber o *significado* que é conferido pelos indivíduos e grupos a essas diferentes experiências que chamamos de possessão, mediunidade, transe. Essas não são redutíveis a explicações lineares de causa e efeito. As *experiências sociais* devem ser entendidas não só como as variáveis externas ao fenômeno religioso propriamente dito, como a classe, a etnia, a origem regional, a ocupação, a trajetória etc., mas também compreendidas como aquelas que definem e demarcam a religião em si mesma como experiência sociocultural e produtora de significados. Em outras palavras, o transe, a possessão, a mediunidade criaram um espaço social com valores culturais de conotação específica. Obviamente não surgem do nada, de um vácuo absoluto. Estão coladas a outras experiências que podem se articular ao que chamamos de *sistema cultural*.

*

Estou sugerindo que dentro da sociedade brasileira existe uma ordem de significados que gira em torno da crença em espíritos. Cândido Procópio de Camargo elaborou um contínuo, idéia extremamente rica e estimulante.[15] Sem dúvida ao pesquisador cabe interpretar as interpretações dos universos investigados, não se limitando a descrevê-los como se pretendesse "relatar" a "consciência do grupo".[16] Nesse sentido, a recuperação de

15. Camargo, Cândido Procópio. *Kardecismo e umbanda*. São Paulo, Pioneira, 1961.
16. Ver em Velho, Gilberto. "O antropólogo pesquisando em sua cidade: sobre conhecimento e heresia", in Gilberto Velho (coord.), *O desafio da cidade*. Rio de Janeiro, Campus, 1980a, p.13-20; e "Sistemas cognitivos e Sistemas de crença: problemas de definição e comparação". 13ª Reunião da Associação Brasileira de Antropologia — 1982. *Comunicação*, PPGAS/Museu Nacional/UFRJ, n. 8, 1984, p. 1-16.

uma perspectiva comparativa e a tentativa de captar estruturas socioculturais mais abrangentes são fundamentais. No entanto, a idéia de contínuo tem sido criticada basicamente devido a um viés evolucionista, que poderá estar expressando a visão de certos grupos incluídos no universo, em detrimento de outros menos "racionais" e mais "mágicos". Com exceção do espiritismo kardecista, a(s) doutrina(s) aparece(m) de forma bastante assistemática, apesar da existência de uma crescente literatura e escritores que se definem como umbandistas. No caso de cultos de natureza extática ligados ao cristianismo existem referências teológicas sujeitas a polêmicas e disputas intensas. De qualquer forma, a tradição oral permanece como meio fundamental de articulação e continuidade da maioria dos cultos. Com isso torna-se bem mais problemática e, em certos níveis, discutível a busca de *um sistema* totalizante e compreensivo. A própria organização social dos terreiros de umbanda e as suas diferentes práticas apontam para outras alternativas.[17]

Apesar disso, sem diluir as fronteiras e descaracterizar as identidades específicas, pode-se dizer que na sociedade brasileira a crença em espíritos e sua manifestação mais ou menos freqüente constitui tema básico na rede de significados ("web of meanings")[18] que a percorre. O fato de não haver uma explicitação nítida e coordenada através de uma hierarquia plenamente legitimada não diminui sua importância. A ambigüidade, as desqualificações e acusações recíprocas indicam características próprias desse universo religioso que têm que ser levadas em conta em uma análise mais conseqüente. Registre-se a inarredável dimensão histórica do fenômeno. Os trabalhos de Laura de Mello e Souza e Luis Mott mostram como, nas primeiras décadas do século XVIII, são identificados cultos de transe e possessão em Minas Gerais envolvendo escravos africanos ou de origem africana.[19] Há sinais de algum convívio entre brancos e negros nessas

17. Maggie. op. cit. e Gonçalves, Márcia C. *O caso da pomba-gira*. Rio de Janeiro, PPGAS/Museu Nacional/UFRJ (dissertação de mestrado), 1983.
18. Geertz, Clifford. *The Interpretation of Cultures*. Nova York, Basic Books, 1973. Tradução brasileira: *A interpretação das culturas*. Rio de Janeiro, Zahar, 1978.

situações, permitindo especular sobre a extensão da crença em espíritos e em sua manifestação naquele período.

*

Volto à questão inicial: como situar a *noção de indivíduo* e como articulá-la em um processo mais abrangente de construção social da realidade? O agente empírico que recebe, é possuído, incorporado etc. corresponde ao indivíduo ocidental, sujeito psicológico, unidade significativa mínima e básica da vida social? Trata-se, obviamente, de questão complexa, impossível de ser respondida de forma clara para todos os grupos mencionados. É justamente aí, inclusive, que aparecem algumas das diferenças mais flagrantes. Por exemplo, a valorização do livre-arbítrio no espiritismo veicula uma noção de responsabilidade individual bastante próxima, em vários aspectos, do modelo supracitado.[20] Por outro lado, como mostra Yvonne Maggie em *Guerra de orixá*, na umbanda a problemática da individualidade é das mais complexas e bastante ambígua. Os indivíduos personagens do drama têm seus santos e guias a quem recorrem regularmente. Nesses momentos quem fala e age não é o indivíduo sujeito psicológico, mas o agente empírico através do qual falam, dançam e se comunicam as diferentes entidades. Mas, por outro lado, há uma "individualização" dos guias. A ciganinha de *Mário* tem gostos e características específicos, tem o seu jeito próprio, assim como o seu caboclo.[21] Dessa forma se diferenciam de alguma maneira de outras ciganas (e pombas-giras em geral) e de outros caboclos. Até que ponto isso indica uma individualização do guia, ou do cavalo, é problema fascinante e complexo. De qualquer forma sugere até uma psi-

19. Mello e Souza, Laura. *O diabo e a Terra de Santa Cruz: feitiçaria e religiosidade popular no Brasil colonial*. São Paulo, Companhia das Letras, 1986; Mott, Luiz. "Acotundá: raízes setecentistas do sincretismo religioso afro-brasileiro". *Revista do Museu Paulista*, n. 31, 1986, p. 124-47; e ver também Bastide, Roger. *As religiões africanas no Brasil*. 3. ed., São Paulo, Pioneira, 1989.
20. Viveiros de Castro Cavalcanti. op. cit.
21. Maggie. op. cit., especialmente Cap. III.

cologização dos personagens, sejam guias ou espíritos, ou dos indivíduos agentes empíricos. É essa possível *psicologização* que me parece altamente significativa.[22] Nesses termos, a comparação com outras religiões de transe e possessão na Grécia e em Roma, por exemplo, poderia ser sugestiva.[23] Até que ponto é possível falar em psicologização? Trata-se, sem dúvida, de ponto sujeito a controvérsias. Na umbanda, no nível dos cavalos (agentes empíricos) parece ser mais evidente. No decorrer de *Guerra de orixá*, existe toda uma discussão a respeito da importância das características do indivíduo, propriamente dito, para o bom encaminhamento do ritual. Ser sério, honesto, trabalhador e instruído é algo muito valorizado, especialmente por Mário, opondo-se à ignorância, despreparo, bebedeira etc. Em geral, nas histórias de vida isso fica muito patente quando as qualidades e defeitos dos diferentes personagens são constantemente avaliados e pesados. São traçadas espécies de "perfis psicológicos" que têm, claramente, uma forte conotação e ênfase morais. Estamos lidando com uma tipologia psicológico-moral que remete, sem dúvida, a categorias e paradigmas culturais de maior abrangência. É nesse sentido que, quando falo em psicológico, aproximo-me mais de uma psicologia moral do que de algo que pudesse ser caracterizado como um discurso psicanalítico.

Por outro lado, certas entidades têm verdadeiras histórias de vida que também falam, sobretudo, de "carreiras morais", fazendo-nos lembrar de clássicas hagiologias. Assim, há histórias de pretos-velhos, de pombas-giras etc. No espiritismo a importância do médium, enquanto indivíduo, é flagrante. O exemplo de Chico Xavier é notório. Em geral, nesses cultos registram-se narrativas em que virtude e pecado aparecem, em que bem e mal podem

22. Ver Duarte, Luiz Fernando Dias. "O culto do eu no tempo da razão". *Três ensaios sobre pessoa e modernidade*. Boletim do Museu Nacional — Nova Série Antropologia, PPGAS/Museu Nacional/UFRJ, n. 41, agosto de 1980, p. 2-27.

23. Ver Vernant, Jean-Pierre. *Mito e pensamento entre os gregos: estudos de psicologia histórica*. São Paulo, Difel, 1973; Gernet, Louis. *Anthropologie de la Grèce Antique*. Paris, F. Maspero, 1976; e Jeanmaire, H. *Dionysos: histoire du culte de Bacchus*. Paris, Payot, 1970.

configurar-se de maneira mais ou menos maniqueísta, mas onde, de qualquer forma, o médium, o aparelho ou o cavalo têm uma biografia, um perfil e uma trajetória. Esses contornos variam muito de nitidez e nem sempre será claro distinguir mitos, vidas ilustres e histórias de guias e orixás em termos de seu estatuto teórico. O que parece importante é a possibilidade de perceber, em contextos de aparente desindividualização, instâncias individualizadoras operando em níveis diferentes. O pedreiro Pedro deixa de ser "ele mesmo" quando recebe um preto-velho mas este, por sua vez, não é um preto-velho qualquer, mas um que é identificado como sendo do *pedreiro Pedro*. Nesse plano, a individualidade do agente empírico se manifesta de forma complexa, na medida em que Pedro pode *ter* um preto-velho e um caboclo assim como o estudante Mário pode *ter* uma pomba-gira e outro caboclo, diferente do que o pedreiro recebe ou tem. Voltando ao espiritismo, a percepção da individualidade do espírito se coloca de maneira nítida, na medida em que se manifestam, recorrentemente, espíritos de indivíduos conhecidos "desencarnados". Assim, em um centro espírita, os adeptos se comunicam com parentes, amigos e personagens históricos com biografias e características conhecidas. Há comunicação, também, com outras modalidades de espíritos, como mostra Viveiros de Castro Cavalcanti, mas, em princípio, existe o pressuposto de que tenham tido outras vidas e que portanto tenham sido indivíduos com marcas e identidades reconhecíveis. É evidente que dentro do espiritismo toda a doutrina da reencarnação complexifica essa problemática, desde que se possa falar, em um plano, na individualidade do espírito encarnado em um momento e vida específicos e, em outro plano, na individualidade do espírito que pode reencarnar muitas vezes, em vidas sucessivas.

*

Aonde chegamos com essas reflexões em termos de uma Teoria da Cultura? A representação do indivíduo na religião remete-nos a paradigmas culturais e a relações sociais. Essas passagens de planos não se dão, no entanto, de forma mecânica e linear. Estamos lidando com dimensões e domínios diferenciados em termos de construção social da realidade. Os limites entre o indivíduo, ser psicológico, e a pessoa, expressão de paradigmas culturais, são, muitas vezes, fluidos e movediços. Temos personagens que podem estar representando valores abstratos como a sabedoria, a coragem, a malandragem, a concupiscência. Mas em outro momento, em passagens de tempo quase imperceptíveis, temos indivíduos específicos, concretos e biografáveis. As entidades, nas religiões de transe, mediunidade, possessão, possivelmente funcionam como mediadores nesse processo de individualização/desindividualização. Elas próprias, na sua caracterização e manifestação, expressam a tensão entre ser, por exemplo, uma pomba-gira genérica ou a *cigana do Mário*. Toda dramatização dos rituais implica em algum nível um processo de identificar *quem é quem*, discutindo posições, relações e individualidades, um processo diferenciado de ênfase, de acordo com cada religião e culto. Isso permite a construção de sistemas de classificação em que indivíduos-agentes empíricos e entidades sejam identificados e situados. Através de suas relações e inter-relações, mais ou menos complexas, elabora-se um mapa sociocultural que define campos de significado e demarca identidades. Insisto na importância das variações dentro de cada grupo religioso, mas parece-me razoável falar em um repertório básico comum que não dilui as diferenças. Pelo contrário, estas constituem e demarcam as fronteiras, as contradições e o espaço sociocultural *em que* e *com que* se elaboram e reelaboram crenças e valores.

Estar atento a isso implica preocupar-se, não só com a descrição, mas com a constituição de cultura(s), através da análise de processos em que valores e atores sociais devem ser examinados em suas múltiplas e complexas inter-relações.

No caso, a crença em espíritos, no transe, na mediunidade e na possessão cria uma *linguagem básica comum* que não esvazia a importância das diferenças substantivas entre os grupos, com suas identidades e valores particulares. Nessa linguagem, o domínio do "sobrenatural" aparece como fundamental para compreender o sistema de representações da sociedade brasileira ou do sistema cultural propriamente dito. Temáticas centrais, como as transformações nas relações sociais e nos modelos tradicionais de inserção social e construção da identidade, são expressas e dramatizadas em todos esses rituais, não traduzindo mas produzindo experiências sociais significativas. Além de serem expressão, *são* e *elaboram* o social.

IV

CULTURA POPULAR E SOCIEDADE DE MASSAS[1]

A maior contribuição da antropologia para o campo das ciências humanas foi, provavelmente, o desenvolvimento do conceito de cultura com todos os seus subprodutos e desdobramentos.

Não cabe aqui examinar com minúcias as origens e a gênese do conceito, mas sim procurar situá-lo diante de desafios da sociedade contemporânea, particularmente da brasileira.[2]

Hoje em dia, *cultura* faz parte do vocabulário básico das ciências humanas e sociais. O seu emprego distingue-se em relação ao senso comum no sentido que esse dá às noções de homem *culto* e *inculto.*

Assim como todos os homens em princípio interagem socialmente, participam sempre de um conjunto de crenças, valores, visão de mundo, *rede de significados* que definem a própria natureza humana. Por outro lado, *cultura* é um conceito que só existe a partir da constatação da diferença entre *nós* e os *outros*. Implica confirmação da existência de modos distintos de *construção social da realidade* com a produção de padrões, normas que contrastam sociedades particulares no tempo e no espaço. Assim, podemos distinguir, por exemplo, a cultura da sociedade francesa, do século XIII, a cultura trobriandesa estudada por Malinowski, a cultura da sociedade grega do século IV a.C. ou a cultura brasileira contemporânea.

1. Publicado originalmente em *Piracema: revista de arte e cultura,* n. 1, ano 1, Funarte/IBAC, 1993, p. 57-63.
2. Ver o meu artigo, em co-autoria com Eduardo Viveiros de Castro, "O conceito de cultura e o estudo das sociedades complexas". *Artefato,* n. 1, Jornal de Cultura do Estado do Rio de Janeiro, 1978, p. 4-9.

Desse modo e reagindo contra preconceitos e etnocentrismo, os antropólogos, progressivamente, passaram a insistir em que cada cultura deve ser entendida em seus próprios termos. Essa é a base do *relativismo cultural.*

Quando definimos *cultura* como um conceito, sabemos que ela pode ser e foi utilizada para efetuar recortes em função de interesses específicos da investigação científica. Mas o pressuposto básico para a sua utilização é a possibilidade de identificar um *conjunto* de fenômenos socioculturais que possa ser diferenciado e contrastado com outros *conjuntos* a que também denominamos *culturas*. Assim, podemos trabalhar tanto num plano tão amplo, como *cultura ocidental*, quanto em planos mais restritos, como cultura afro-brasileira, xavante, gaúcha etc.

A partir dessas considerações podemos passar a examinar a relação entre *cultura popular* e *sociedade de massas* no caso brasileiro contemporâneo.

*

A noção de cultura popular remete à dicotomia elites e classes e/ou camadas populares. Essa visão dualista distingue dois níveis de cultura dentro de uma sociedade, relacionados não só à desigualdade econômica e política como, de um modo geral, a visões de mundo e experiências sociais peculiares. Dentro da tradição antropológica, com autores como Robert Redfield com sua noção de *contínuo folk-urbano*, enfatizou-se sempre o caráter dinâmico e relacional entre os diferentes níveis de cultura. Pensadores e historiadores como Bahktin e Ginzburg, por sua vez, exploraram não só a distinção de níveis como, sobretudo, essa sua natureza relacional e interativa.[3] Nessa

3. Ver, por exemplo, Redfield, Robert. *The folk culture of Yucatan*. Chicago, The University of Chicago Press, 1968; Bahktin, Mikhail. *A cultura popular na Idade Média e no Renascimento: o contexto de François Rabelais*. São Paulo, Hucitec/Edusp; Brasília, Ed. Universidade de Brasília, 1987; Ginzburg, Carlo. *O queijo e os vermes: o cotidiano e as idéias de um moleiro perseguido pela Inquisição*. São Paulo, Companhia das Letras, 1987; id. *História noturna: decifrando o sabá*. São Paulo, Companhia das Letras, 1991.

perspectiva, por conseguinte, a sociedade complexa é vista constituída por dois conjuntos culturais básicos que produzem e vivem essa relação de oposição complementar. Os autores, sabemos, vão variar no grau e ênfase que dão aos aspectos de dominação, exploração e antagonismo existentes. Na tradição marxista, quando se distingue, por exemplo, classe trabalhadora dentro do universo maior e mais heterogêneo das camadas e/ou classes populares, está havendo uma opção por valorizar a importância da estrutura de classes na sociedade capitalista, sublinhando os seus conflitos constitutivos básicos. Por outro lado, dependendo do interesse do investigador e de sua visão da complexidade da sociedade, matizes e nuanças podem surgir, desenfatizando a polaridade para valorizar combinações e meios-tons.

A cultura popular pode, portanto, no caso de se marcar seu caráter heterogêneo e plural, ser desdobrada em *culturas populares*.[4]

Nesse caso, sublinha-se a sua diversidade regional, étnica, ocupacional, religiosa etc. O povo, as camadas e/ou classes populares são focalizados, sob esse ângulo, nos seus diferentes modos de ser e de se expressar. Podemos falar, então, em tradição artesanal nordestina, em mundo do candomblé, em tradições ligadas aos imigrantes italianos, alemães, japoneses, em festas populares católicas etc.

Estaremos, assim, lidando com a complexidade e heterogeneidade da vida cultural da sociedade contemporânea, com seus diversos níveis, dimensões e combinações. As relações entre esses constituem um dos temas mais fascinantes da moderna pesquisa histórica, antropológica e folclórica, apresentando-se como um desafio dos mais estimulantes. Cabe registrar que o fenômeno da diferenciação é identificado tanto dentro das camadas populares como das elites, embora essas, por definição, tenham maior tendência, se não à homogeneidade propriamente dita, a uma certa concentração de padrões e estilo de vida, ligada ao seu processo de reprodução e continuidade.

4. Ver também a importante contribuição de Canclini, Néstor García. *Las culturas populares en el capitalismo*. México, Editorial Nueva Imagem, 1982.

No caso brasileiro, encontramos fenômenos que, por sua riqueza e densidade, põem em xeque esquemas e classificações demasiadamente rígidos. Refiro-me, principalmente, às religiões e cultos de possessão que atravessam quase toda a estrutura social. No plano cultural, não há como exagerar a importância da crença generalizada em espíritos e nas suas possibilidades de se comunicarem, manifestarem e influenciarem a vida cotidiana. Candomblé, umbanda, espiritismo, kardecismo, catolicismo popular, diversas seitas de origem protestante, com todas as suas importantes diferenças e até pelos seus conflitos e acusações recíprocas, têm como referência permanente um domínio do sobrenatural mais ou menos benigno ou maligno, mas de algum modo manipulável, sempre presente nas ações humanas.[5]

Embora esse fenômeno seja localizado principalmente nas camadas populares, os trabalhos mencionados e outros apontam a presença nos diferentes cultos, embora em distribuição desigual, de indivíduos de diversos setores e segmentos médios e também de elites. Configura-se, assim, como um dramático exemplo da fluidez das fronteiras entre níveis de cultura, destacando-se como uma das características mais gerais e identificadoras da sociedade brasileira.[6] A gênese dessas crenças está associada, como sabem, aos escravos e culturas africanos, mas também a tradições cristãs ligadas ao exorcismo, à bruxaria e a outras práticas e crenças seculares.

Ao lado dessas particularidades e matizes culturais, há que atentar, portanto, para a complexidade propriamente sociológica do Brasil.

No caso mencionado, citamos a importância da participação das camadas médias, que são, pela sua constituição, variadas e fluidas. Incluem desde pequenos funcionários e comerciários na fronteira da classe trabalhadora até universos intelectualizados,

5. Ver, entre outros, Maggie, Yvonne: *Guerra de orixá: um estudo de ritual e conflito*. Rio de Janeiro, Zahar, 1975; id. *Medo de feitiço: relações entre magia e poder no Brasil*. Rio de Janeiro, Arquivo Nacional, 1993; Viveiros de Castro Cavalcanti, Maria Laura. *O mundo invisível: cosmologia, sistema, ritual e noção de pessoa no espiritismo*. Rio de Janeiro, Zahar, 1983; e Prandi, Reginaldo. *Os candomblés de São Paulo: a velha magia na metrópole nova*. São Paulo, Hucitec/Edusp, 1991.

6. Ver os Capítulos I e II deste livro.

com elevada renda e prestígio social, confundindo-se em certos contextos com o mundo das elites. As diferentes ocupações, *background* e trajetórias compõem um quadro de estilos de vida e visões de mundo altamente diversificado, dificultando generalizações do tipo "cultura de classe média".

*

Sem dúvida, uma das características mais marcantes da sociedade moderno-contemporânea é o seu caráter de massificação.

O processo de urbanização, o desenvolvimento das grandes regiões metropolitanas e das megalópoles, os meios de transporte e comunicação, os avanços tecnológicos produziram uma transformação inédita na história da humanidade quanto a alterações de padrões de sociabilidade e interação, costumes e rotinas.

Mas vale sublinhar que as diferentes sociedades e culturas interpretaram e lidaram de modo singular com essas mudanças, impedindo que se pense em um processo efetivamente uniforme. Embora existam semelhanças, as diferenças são cruciais para perceber os significados e definições de realidade em cada situação. Isso é importante para não cairmos em esquemas evolucionistas apressados e empobrecedores.

Um dos exemplos mais ricos e polêmicos, no caso brasileiro, é o das telenovelas. Elas são vistas e acompanhadas, diariamente, por dezenas de milhões de indivíduos em todo o país. Aparecem, portanto, como um dos exemplos mais expressivos da sociedade de massas. Alguns autores já criticaram a idéia de que as telenovelas uniformizam a sociedade, apagando e afetando as identidades particulares.[7]

7. Ver, por exemplo, Prado, Rosane Manhães. *Mulher de novela e mulher de verdade: estudo sobre cidade pequena, mulher e telenovela*. Rio de Janeiro, PPGAS/Museu Nacional/UFRJ (dissertação de mestrado), 1987; Coutinho, Mônica Roque. *Telenovela e texto cultural: análise antropológica de um gênero em construção*. Rio de Janeiro, PPGAS/Museu Nacional/UFRJ (dissertação de mestrado), 1993; e Kottak, Conrad Phillip. *Prime Time Society: an anthropological analysis of television and culture*. Belmont, California, Wadsworth Publishing Company, 1990.

Frisam que os diferentes grupos sociais, com sua socialização e peculiaridades, fazem leituras e interpretações particulares daquilo a que assistem na tevê. Essas observações relativizam as teorias sobre "aldeia global" e coisas do gênero. De fato, está se afirmando que os indivíduos não são folhas de papel em branco onde são impressas as imagens e mensagens da televisão, particularmente de suas novelas.

Mesmo em se tratando das novas gerações que são expostas a esse veículo desde praticamente o nascimento, há que mencionar a existência de outros mecanismos e agências socializadoras, como a família, a igreja, o grupo de pares, a comunidade, a escola etc. Por outro lado, a comunicação de massas também é heterogênea de vários modos, impedindo que se fale em um movimento único e avassalador. Além do mais, ela é produzida *dentro* de uma cultura e sociedade, não se constituindo em um fenômeno alienígena, por mais que se possa criticar os excessos dos enlatados americanos.

Não só a "matéria-prima" de fatos e informações, mas modelos, juízos, valores são acionados a partir de significados, experiências e vivências culturalmente construídos, elaborados e articulados. Portanto, as telenovelas fazem parte da sociedade e cultura brasileiras, com suas virtudes, dificuldades e problemas. Isso não significa, obviamente, que os veículos de comunicação não atuem e afetem a vida das pessoas. Mas, além de as mensagens e influências não serem homogêneas e unidirecionais, os indivíduos e grupos movem-se em uma rede de papéis e significados que faz com que a recepção seja diferenciada, e as interpretações, heterogêneas. Logo, estamos lidando com um mapa dinâmico, de múltiplos planos e em permanente mudança. No plano individual, a participação em mundos diferenciados e o desempenho de múltiplos papéis levam ao desenvolvimento de um *potencial de metamorfose* particularmente rico.[8]

Assim, um indivíduo de classe trabalhadora, freqüentador de um terreiro de umbanda, torcedor do Flamengo e músico de pagode, vive no seu cotidiano a experiência de estar sempre pas-

8. Para a discussão desse conceito ver Capítulos anteriores, especialmente o I.

sando de uma esfera de significados para outra, em fluxo contínuo, acionando aspectos diferentes de sua experiência e personalidade social. Os diversos papéis que vive e os diferentes códigos que aciona lhe fornecem um repertório simbólico e cultural que invalida a idéia de que, pelo fato de ver tevê regularmente, possa se tornar um "mero joguete" da cultura de massas.

*

O universo das camadas populares brasileiras é, portanto, amplo, variado e heterogêneo. Além da classe trabalhadora, propriamente dita, no campo e na cidade, identificamos camponeses, pequenos proprietários, bóias-frias, pescadores, desempregados, semi-empregados, marginais ao mercado de trabalho e de todos os outros tipos, empregados domésticos, funcionários públicos, colarinhos-brancos, técnicos de nível médio, comerciários, bancários, diversos setores de camadas médias, moradores de favelas, conjuntos, subúrbio, periferia etc. As relações desse universo com outras categorias e grupos sociais podem ser mais ou menos inclusivas ou antagônicas, variando em contextos históricos e regionais. A indiscutível iniqüidade social brasileira estabelece terríveis fossos, mas não exclui a possibilidade de interações sociais e simbólicas entre os diferentes mundos e classes, mediante relações de dominação ou de outra natureza, como já foi mencionado.

Toda essa riqueza e a complexidade de tradições e visões de mundo exigem um grande esforço de compreensão e análise. O trabalho dos cientistas sociais em geral, particularmente dos pesquisadores de cultura popular, é imprescindível para conhecer melhor o país e poder promover uma ação social de apoio aos setores mais carentes e com dificuldade de acesso e inserção no mundo do trabalho e na esfera pública em geral.

Para o sucesso desse empreendimento é crucial o apoio do Estado. Só o poder público tem condições de liderar e coordenar esse processo que envolve investigação científica e política social.

As ações desenvolvidas pelo antigo Instituto Nacional de Folclore, atual Coordenação de Folclore e Cultura Popular, apesar de todas as dificuldades, têm demonstrado esse propósito. A pesquisa, com trabalho de campo e observação participante, soma-se à investigação bibliográfica, no esforço de estudar e apoiar comunidades e setores específicos. O estímulo à criatividade das camadas populares, associado à preocupação de garantir espaço para a continuidade de tradições valorizadas pelos grupos, procura dar conta dos dilemas e pressões inerentes à mudança social. A importância de um Museu do Folclore, por outro lado, consiste em garantir e dignificar a memória da cultura popular, reagindo a preconceitos de todas as ordens. A atividade multi e interdisciplinar, integrando folclore, antropologia e história, é a base de um conhecimento mais sofisticado, resistente a manipulações e paternalismo. Essa sutil, mas vigorosa, combinação de pesquisa científica, apoiada na academia, com uma política social democrática é certamente o caminho adequado de instituições como o INF.[9]

9. O INF foi particularmente massacrado pela chamada "reforma administrativa" Collor-Santana. Perdeu boa parte de seu quadro técnico-científico, dano não reparado até a época de preparação deste livro.

V

A VITÓRIA DE COLLOR[1]

As eleições presidenciais de 1989, com seu disputado desfecho, mobilizaram intensamente, como não poderia deixar de ser, quase toda a população do Brasil.

Gostaria de levantar algumas questões que estão mais diretamente ligadas à preocupação e a uma tradição de trabalho voltadas para a dimensão cultural, simbólica da sociedade brasileira. Com isso, quero deixar claro, não descarto outras análises e enfoques. Creio que é necessário considerar o conjunto de valores e atitudes que, de alguma forma, contribuíram para a vitória de Fernando Collor de Melo.

É muito fácil explicar o voto das "camadas de baixa renda" em Collor como sinal de ignorância, atraso ou alienação. Deve-se, primeiramente, assinalar que encontramos na história do Brasil uma longa galeria de personagens que desemboca no presidente eleito. São os *heróis salvadores*, tocados por carisma, que mobilizaram, cada qual em circunstâncias específicas, a paixão e admiração de vastos setores da sociedade nacional. Getúlio, Carlos Lacerda, Jânio, Brizola são, entre outros, exemplos de atualização de crenças e valores associados ao milenarismo e messianismo.[2] De certa forma Pedro I foi de maneira dramática, no seu tempo,

1. Publicado originalmente em *Novos Estudos — CEBRAP*, n. 26, março de 1990, p. 44-7.

2. Sobre milenarismo ver o livro clássico de Cohn, Norman. *The Pursuit of the Millenium*. Londres, Paladin, 1972. Sobre messianismo ver, entre outros, Queirós, Maria Isaura Pereira. *Messianismo no Brasil e no mundo*. São Paulo, Edusp, 1965; e Queirós, Maurício Vinhas. *Messianismo e conflito social*. Rio de Janeiro, Civilização Brasileira, 1966.

a própria encarnação de D. Sebastião. No mundo luso-brasileiro é o *sebastianismo* que representa, de modo intenso e sistemático, a crença em indivíduos excepcionais, destinados a redimir, salvar o povo de opressores, da injustiça e dos abusos.[3] D. Sebastião, rei de Portugal, da Casa de Aviz, desaparece em 1578 em Alcácer Quibir lutando contra os mouros. Depois de dois anos de disputas dinásticas, período em que Portugal está sob a regência do Cardeal D. Henrique, tio do rei, dá-se o início do chamado Domínio Espanhol que perdurará até 1640, com a ascensão da casa de Bragança. Não tendo sido encontrado o corpo do jovem monarca, elaboram-se lendas, histórias e versões sobre a sua prometida e desejada volta. Atribuíram-se a D. Sebastião características e poderes sobre-humanos de santidade e, basicamente, o papel de redentor que redimiria os pobres e oprimidos. Em Canudos, no Contestado e em outros movimentos sociais no Brasil identificam-se claramente manifestações sebastianistas dentro do quadro messiânico e milenarista. A figura do jovem rei e sua representação de santo guerreiro aproximam-no do próprio São Sebastião e de São Jorge, muito presentes na religiosidade popular luso-brasileira. Aparece, às vezes, misturada com Carlos Magno, os doze pares de França etc. As histórias e lendas de lutas contra os mouros, com seu forte caráter maniqueísta, aproximam os personagens e santos citados. Por mais que possa incomodar historiadores, antropólogos e geógrafos, não é preciso muito esforço para perceber que *mouros* e *marajás* também podem ser aproximados no imaginário popular, como depoimentos na imprensa durante a campanha eleitoral permitiram vislumbrar, lembrando talvez enredos de escolas de samba.

Sabemos da persistência em boa parte do interior e em cidades pequenas de crenças, festas e rituais que evocam seja a luta de cristãos contra mouros, seja, de um modo geral, a intervenção de poderes sobrenaturais e miraculosos em favor dos pobres e oprimidos. Na literatura de cordel, em narrativas de todos os tipos, personagens históricos se fundem com figuras fantásticas em combate contra forças malignas. Em época de seca, escassez,

3. Ver Azevedo, J. Lúcio. *A evolução do sebastianismo*. Lisboa, Livraria Clássica Editora, 1944.

fome, dificuldades em geral, ressurge ciclicamente a esperança de uma terra prometida, abençoada onde "correrão o leite e o mel" e a justiça será instaurada. Assim Collor de Melo se encaixa como uma luva dentro desse universo de heróis salvadores. Estes, insisto, encontram terreno particularmente fértil em períodos de *crise*, *deprivation*, *anomia*, *desorganização*, como assinalam diversos autores. Sem dúvida a comunicação de massa, sustentada por interesses específicos, reforça as tradições, maquilando e elaborando a figura do herói salvador. O estilo jovem guerreiro sendo acentuado, viagens de jatinho, aparições súbitas sugerindo o dom da ubiqüidade, o ar de vítima/mártir, "não me deixem só" , tudo isso formulado com maior ou menor grau de cálculo e deliberação, concorre para a construção de personagem *extraordinário*, possivelmente *sobre-humano*. Importantíssimos dentro desse processo foram os momentos de participação de Frei Damião na campanha de Collor, fartamente divulgados por todo o país, reforçando a presença de uma religiosidade popular no evento eleitoral. Também é digno de atenção o fato de a campanha, com seus recursos de mídia eletrônica e pirotecnia audiovisual, procurar realçar o binômio juventude-modernidade. Os adversários eram lançados na vala comum da política velha, superada. Isso faz todo o sentido, aparecendo como um reforço do anúncio dos "Novos Tempos". Até que ponto tudo isso expressa um "Brasil Arcaico" ou uma dimensão forte, intensa e atual da cultura e da sociedade brasileiras? Tendo a acreditar que, pelo menos, não se deve subestimar a capacidade de permanência desse sistema de crenças e valores, sem dúvida antigo porque secular, mas que reaparece com vigor atualizando paradigmas, eventualmente com novas roupagens, em situações de crise e de transição. Rotulá-lo de atrasado, alienado etc. não o exorciza nem dilui seu peso e importância. São percepções e visões de mundo densas e complexas cuja especificidade historiadores e antropólogos têm procurado captar. Vale salientar que no universo de camadas médias urbanas também encontramos presentes elementos salvacionistas. No Rio de Janeiro, por exemplo, as referências a Lacerda são esclarecedoras, estabelecendo-se notável continuidade com Collor, cuja vitória nestes setores configurou-se com nitidez no segundo turno.

Eleitores de Maluf, Afif, muitos de Covas, outros de Ulysses e Aureliano juntaram-se no apoio ao candidato do PRN, já com forte sustentação nas bases populares acima mencionadas. Basicamente esses setores sentiram-se ameaçados pela candidatura Lula da Frente Popular. O tradicional medo do comunismo, de hipotético ataque à propriedade, experiências traumáticas com greves e paralisações, tudo isso reuniu indivíduos e grupos cujo espectro ideológico passa por direita assumida até reformistas moderados, incluindo conservadores mais ou menos esclarecidos, liberais de vários matizes etc. É claro que encontramos eleitores de Lula nas camadas médias. Os exemplos mais evidentes estão na juventude, nos estudantes particularmente, e no meio artístico-intelectual. Mesmo neste último setor não foram pouco significativos os apoios a Collor, quebrando uma pretendida unanimidade. Os discursos e declarações de Lula falando de classe média expressavam, provavelmente, a visão dos setores de classe trabalhadora do ABC paulista. Emprego, habitação, ir à praia nas férias anuais, ir ao restaurante no fim de semana e tomar uma cerveja ao sair do serviço atende talvez às demandas básicas de boa parte dos trabalhadores, mas não dá conta das aspirações diferenciadas de um universo de camadas médias complexo, heterogêneo, com estilos de vida e padrões de consumo não só mais elevados, mas, sobretudo, mais diversificados. Essa visão homogeneizante da "classe média" também afastou parte desse eleitorado. Por outro lado, não foi apenas o receio de uma política esquerdizante que fez com que a candidatura Lula tivesse dificuldade de passar não só no universo de camadas médias como em outros setores. Aqui acredito que defrontamo-nos com um fenômeno cultural de natureza mais abrangente, constituinte da própria sociedade brasileira. Trata-se de *visão hierarquizante* dessa sociedade que já foi discutida e analisada por diferentes autores, sob diferentes pontos de vista, como Gilberto Freyre, Florestan Fernandes e Roberto da Matta.[4] A questão básica é a da superioridade "natural" dos in-

4. Ver, por exemplo, Freyre, Gilberto. *Casa grande e senzala: formação da família brasileira sob o regime da economia patriarcal*. 16 ed. Rio de Janeiro, José Olympio, 1973; Fernandes, Florestan. *O negro e o mundo dos brancos*. São Paulo, Difel, 1972; Da Matta, Roberto. *Carnavais, malandros e heróis*. Rio de Janeiro, Zahar, 1979.

divíduos de casta superior sobre os de casta inferior. Assim Collor de Melo, claramente membro da elite brasileira, filho e neto de políticos de atuação nacional, seria inevitavelmente melhor do que Lula, modesto migrante nordestino, operário e líder sindical em São Paulo. Essa superioridade, em princípio, se manifesta através de uma apresentação do *self*, de uma maneira de falar, de vestir, de técnicas do corpo, de sinais externos de participação em um *ethos* de casta privilegiada. Os erros ou escorregões de português de Lula, mais ou menos gritantes, sempre serviram de confirmação para essa visão, enquanto os de Collor eram ignorados ou minimizados. O debate final, com toda a sua dramaticidade, apresentou em um palco privilegiado o confronto entre indivíduos de diferentes castas. Se no primeiro debate o simples fato de Lula ter enfrentado de igual para igual o candidato do PRN já seria surpreendente e meritório, no segundo o que se passou confirmaria a crença nessa "ordem natural". Cansado, abatido possivelmente pela truculenta campanha que envolveu sua vida particular, Lula parecia, diante da aparente confiança e/ou arrogância do opositor, referendar a crença de que um trabalhador não poderia ser melhor candidato a presidente do que um membro da elite. Mais uma vez um universo previamente socializado em uma *visão* de mundo *hierarquizante* tinha confirmadas suas idéias sobre o lugar dos indivíduos na sociedade.

É verdade que a eleição foi muito disputada, com uma diferença de cerca de 5% de vantagem do primeiro para o segundo. Lula teve 31 milhões de votos, um resultado mais que expressivo. Sua campanha arrebanhou multidões impressionantes. Os valores da cidadania, da igualdade, sem dúvida se difundem pela sociedade, assim como uma crescente consciência da necessidade de mudanças e reformas mais profundas. É importante, no entanto, procurar perceber os limites e características específicas de diferentes visões de mundo que existem no Brasil. Vale a pena também ver como se combinam em diferentes momentos e situações. Nesse sentido foi expressivo o depoimento de uma empregada doméstica carioca: "Ia votar no branco. Mas o patrão disse para votar no preto. Aí eu segui o patrão." Entenda-se: a empregada doméstica, negra, pretendia votar em Collor, que classifica de *branco*, mas vota em Lula, classificado de *preto*, por sugestão do patrão. Assim o candidato da classe trabalhadora, ligado às causas da cidadania, acaba sendo votado dentro de um típico esquema de clientelismo e patronagem. Este caso não é necessariamente excepcional. Revela, de um lado, mais uma vez a *visão hierarquizante* que divide a sociedade em castas, aqui representadas por branco e preto. Por outro lado, a eleitora de Collor transforma-se em eleitora de Lula dentro dos mecanismos tradicionais, de forma aparentemente paradoxal, da sociedade brasileira.

Estas experiências em questão são exemplos de alguns dos desafios com que os pesquisadores têm que se defrontar para melhor compreender fenômenos culturais e sociológicos do Brasil contemporâneo.

VI

SOBRE HOMENS MARGINAIS[1]

As noções de marginalidade e desvio quando aplicadas às sociedades complexas contemporâneas contrastam dramaticamente com as sociedades primitivas, tribais, ou de pequena escala.

Nestas, como mostrou Laraia, retomando Stonequist e Florestan Fernandes, podia-se

> [...] Entender o homem marginal como sendo aquele indivíduo que não pertence integralmente a qualquer sociedade, devido a conseqüências do contato entre dois sistemas sociais ou, apenas a uma impossibilidade de ajustamento a um único sistema.[2]

Ora, nas sociedades complexas da atualidade, já temos que enfrentar, de saída, a questão de sua relativa integração. A heterogeneidade cultural e a complexidade sociológica produzem e expressam uma coexistência, muitas vezes contraditória, de diversos estilos de vida e visões de mundo. Há várias maneiras de lidar com o fenômeno sociocultural da complexidade. Parece-me útil encarar o sistema mais amplo com que lidamos sempre como uma possibilidade e não como premissa. Daí a importância da pesquisa histórica que permite rastrear a gênese dos grupos, ca-

1. Publicado originalmente em *Anuário Antropológico/92*. Rio de Janeiro, Tempo Brasileiro, 1994, p. 1-7.
2. Ver p. 155 em Laraia, Roque de Barros. "O 'homem marginal' numa sociedade primitiva". *Revista do Instituto de Ciências Sociais do Rio de Janeiro*, v. 4, n. 1, jan./dez., 1967, p. 143-58.

tegorias e relações sociais que constituem a sociedade maior, cujas unidade e coerência são problematizáveis. É claro que sempre sabemos que as sociedades primitivas nunca são tão simples ou homogêneas, mas o fato é que têm sido tradicionalmente tratadas na literatura antropológica como unidades. As diferenças internas, as relações entre as sociedades tribais e com outras sociedades em geral, embora importantes para algumas linhas de pesquisa, não obscurecem a predominância de uma visão da sociedade de pequena escala equivalente a um sistema autocontido e delimitado. Já, no tocante às sociedades modernas, particularmente no que diz respeito às metrópoles, sempre foi inescapável a presença de grupos sociais e áreas ecológico-culturais distintos e, muitas vezes, contrastantes. Colocavam-se como problemas básicos as fronteiras e o trânsito entre os referidos grupos e áreas.[3]

Creio ser interessante comparar as abordagens contemporâneas da chamada escola boasiana diante das sociedades tribais com a do grupo de sociologia de Chicago diante da cidade, com o objetivo de perceber continuidades e descontinuidades quanto às concepções de integração, normalidade e desvio, por exemplo.

Tanto Ruth Benedict como Margaret Mead sugeriam as limitações das sociedades de pequena escala, diante das alternativas da sociedade moderna.[4] Nesse sentido, o seu relativismo era paradoxal, desde que, com maior ou menor ênfase, partiam do pressuposto de um homem universal cujas potencialidades poderiam ou não ser aproveitadas dentro do quadro de culturas específicas. Já os sociólogos de Chicago, influenciados por Simmel, viam na metrópole o *locus*, por excelência, da diversidade onde, mesmo com elevado preço a pagar, os indivíduos poderiam valorizar e

3. Ver, por exemplo, Park, Robert E. "The City: Suggestions for the investigation of human behavior in the urban environment". *American Journal of Sociology*, XX, 1916, p. 577-612. Tradução brasileira: "A cidade: sugestões para a investigação do comportamento humano no meio urbano", in Otávio G. Velho (org.), *O fenômeno urbano*. Rio de Janeiro, Zahar, 1967, p. 29-72.

4. Benedict, Ruth. *Patterns of Culture*. Boston, Houghton Mifflin, 1934; e Mead, Margaret. *Sex and Temperament in Three Primitive Societies*. Nova York, William Morrow, 1935. Tradução brasileira: *Sexo e temperamento*. São Paulo, Perspectiva, 1969.

expressar sua singularidade.[5] Vale a pena pensar se não estamos lidando com as duas faces da mesma moeda, apesar de consideráveis diferenças de objeto, método e teoria. Os trabalhos do grupo de Chicago mostraram que, na grande metrópole contemporânea, encontramos não só um maior número e diversidade de papéis e domínios, como evidentes descontinuidades e contradições entre estes. Família, trabalho, religião, lazer, opções políticas, entre outros, configuram um *campo de possibilidades* em que os atores individuais se movem, mais ou menos impelidos e pressionados, mas com uma gama básica de alternativas e opções. Embora existam papéis e situações mais contaminadores, há maior separação e autonomia, produzindo maior margem de manobra do que num pequeno grupo, relativamente isolado, onde todos se conhecem. Assim, por mais que se saiba que não existem sociedades realmente simples, pois as relações sociais nunca são lineares, há uma contrastante diferença entre viver em uma aldeia com cem indivíduos ou numa metrópole com dez milhões de habitantes. É evidente também que não se trata apenas de um problema demográfico, mas do caráter e natureza da sociedade e da cultura.

Assim, se pensarmos a sociedade como um permanente processo interativo, podemos perceber que, se o desvio e a marginalidade são sempre fenômenos relativos, essa característica assume maior nitidez na sociedade moderno-contemporânea. A diversificação de papéis e domínios, associada à possibilidade de trânsito entre estes, possibilitam e produzem identidades multifacetadas e de estabilidade relativa. Configura-se o que já denominei de *potencial de metamorfose*.[6]

Em qualquer sociedade os indivíduos transitam entre papéis e domínios, mas, na grande metrópole contemporânea, isso atinge uma intensidade e freqüência inéditas. Esse fenômeno foi per-

5. Simmel, Georg. *On Individuality and Social Forms*. Donald Levine (org.), Chicago, University of Chicago Press, 1971; Wirth, Louis. "Urbanism as a Way of Life". *The American Journal of Sociology*, v. 44, n. 1, Chicago, 1938. Tradução brasileira: "O urbanismo como modo de vida", in Otávio G. Velho (org.), *O fenômeno urbano*. Rio de Janeiro, Zahar, 1967, p. 97-122; e Park. op. cit.
6. Ver Capítulos anteriores, especialmente o I.

cebido tanto pelos antropólogos boasianos como pelos sociólogos de Chicago. A principal diferença foi que, enquanto Ruth Benedict, em *Patterns of Culture*, por exemplo, enfatizava a dificuldade de investigar as sociedades complexas, sociólogos como Robert E. Park assumiam como tarefa o desafio de pesquisar a metrópole.[7]

Sabemos que a grande antropóloga americana, mais adiante em sua carreira, enfrentou também o desafio das sociedades complexas com *O crisântemo e a espada*, mas ainda levaria algum tempo para que outros antropólogos viessem a se juntar aos esforços de Lloyd Warner no desvendamento do meio urbano moderno.[8] Vale lembrar que Warner também exerceu importante influência sobre os sociólogos de Chicago.[9] A experiência da pesquisa antropológica foi importante para o desenvolvimento de trabalhos de sociólogos da tradição de Chicago como Everett Hughes e seus alunos Howard S. Becker e Erving Goffman. Mas a problemática herdada de Simmel, através, principalmente, de Park, introduziria outras questões e problemas.

Em casos extremos, a heterogeneidade e a diferenciação poderiam produzir situações de *fragmentação* sociocultural, quando se perdem relações mínimas de gramaticalidade entre domínios e papéis.

Podemos dizer, assim, que na sociedade moderno-contemporânea os indivíduos transitam não entre dois *sistemas* mas entre *n* domínios e/ou níveis socioculturais. Por outro lado, quando se fala em ajustamento, sabemos que é altamente problemático pensarmos tendo apenas *um* sistema como referência, desde que, por definição, os indivíduos transitam entre mundos e esferas diferenciados, cujas relações não só não são lineares como não são regulares, aproximando-se, em sua extrema complexidade, de modelos caóticos.

7. Benedict. op. cit., p. 55-6; e Park. op. cit.
8. Benedict, Ruth. *The Chrysanthemum and the Sword: patterns of japanese behavior*. Boston, Houghton Mifflin, 1946. Tradução brasileira: *O crisântemo e a espada: padrões da cultura japonesa*. São Paulo, Perspectiva, 1972.
9. Ver Becker, Howard S. *Uma teoria da ação coletiva*. Rio de Janeiro, Zahar, 1977, especialmente Introdução.

Sem dúvida, o *blasé* de Simmel e o *homem sem qualidades* de Musil são tipos sociais que expressam, com contundência, características básicas da vida na grande cidade moderno-contemporânea.[10] O amortecimento, a ausência de convicções ou projetos fortes, o desenraizamento, são possibilidades reais em diversos quadros socioculturais mas nem sempre é clara a fronteira entre ser *blasé* e não ter qualidades que, aliás, não são sinônimos, com ser *flâneur* como em Baudelaire e Benjamin. A atitude de perambulação pelas ruas, a importância do olhar do *voyeur*, o distanciamento e o descomprometimento, expressariam uma ausência de *commitment*, de adesão diante da heterogeneidade e da fragmentação como limite. Sem dúvida Simmel, Musil, Baudelaire e Benjamin descreveram modalidades de adaptação e sociabilidade possíveis na metrópole e sociedade modernas. Mas as redes de significado, *webs of meaning*, produzem também outras modalidades de combinação e trânsito na esfera cultural para a própria concepção de indivíduo, marginal ou não. A não ser em casos de execração e denúncia públicas que congelem drasticamente a identidade individual, contaminando todos os seus papéis e desempenho, existe uma maior margem de manobra apoiada no *anonimato relativo*[11] que, articulada ao *potencial de metamorfose*, diferenciam as sociedades urbanas contemporâneas das sociedades tribais e tradicionais.

Um outro papel que assume importância extrema dentro da complexidade sociocultural analisada, é o de *mediador cultural*. Trata-se do papel desempenhado por indivíduos que são intérpretes e transitam entre diferentes segmentos e domínios sociais. De certa forma, é o oposto sociológico do homem marginal esmagado entre dois sistemas culturais. Esses *brokers*, mediadores, tornam-se especialistas na interação entre diferentes estilos de vida e visões de mundo. Embora, na origem, pertençam a um grupo, bairro ou região moral específicos, desenvolvem o talento e a capacidade de intermediarem mundos diferentes. Os exem-

10. Simmel. op. cit.; e Musil, Robert. *L'Homme sans qualités*. Paris, Seuil, 1956.
11. Velho, Gilberto e Machado da Silva, Luis Antônio. "Organização social do meio urbano". *Anuário Antropológico/76*, 1977, p. 71-82.

plos são inúmeros como pais-de-santo, médicos, artistas populares e políticos. Karina Kuschnir, no Programa de Pós-Graduação em Antropologia Social do Museu Nacional, desenvolveu trabalho em que analisa o papel dos vereadores do município do Rio de Janeiro enquanto mediadores culturais. Não são apenas representantes políticos em um sentido restrito. Traduzem e interpretam aspirações, desejos e valores de grupos específicos para a esfera pública oficial. Uns mais, outros menos, têm na sua atividade cotidiana a tarefa de estabelecer pontes entre universos culturais distintos.[12] Maria Laura Viveiros de Castro Cavalcanti, em sua tese de doutoramento, analisa, por sua vez, o papel dos *carnavalescos* como mediadores entre o mundo tradicional das escolas de samba com outros segmentos e domínios.[13]

Esses mediadores não são seres desenraizados ou marginais no sentido clássico. Desenvolvem a capacidade de lidar com dois ou mais códigos. Seu sucesso profissional e pessoal depende de seu desempenho como intermediários. Em uma sociedade complexa e heterogênea, papéis como esses, nem sempre explícitos e conscientes, fazem parte da própria lógica do processo interativo. O *potencial de metamorfose* permite, em geral, aos indivíduos transitarem entre diferentes domínios e situações, sem maiores danos ou custos psicológico-sociais, ao contrário do que se poderia esperar, a partir de uma visão mais estática de identidade. Dentro desse repertório, portanto, desenvolvem-se papéis e desempenhos mais especializados, sem que isso signifique uma exclusão dos outros indivíduos. Pelo contrário, trata-se de uma característica mais generalizada da sociabilidade contemporânea, que faz com que todos, potencialmente, possam participar de *n* códigos e mundos. As diferenças, claramente existentes, se devem a especificidades de trajetória, origem, poder, prestígio, associadas à natureza da estrutura social.

12. Kuschnir, Karina. *Política e mediação cultural: um estudo na Câmara Municipal do Rio de Janeiro*. Rio de Janeiro, PPGAS/Museu Nacional/UFRJ (dissertação de mestrado), 1993.

13. Viveiros de Castro Cavalcanti, Maria Laura. *Onde a cidade se encontra: o desfile das escolas de samba no Rio de Janeiro*. Rio de Janeiro, PPGAS/Museu Nacional/UFRJ (tese de doutorado), 1993.

É evidente que essas peculiaridades relativizam ainda mais as noções de marginalidade e desvio, mas não suprimem o fenômeno da *transgressão*. Com maior ou menor amplitude ou ressonância, indivíduos infringem regras básicas, mobilizando o controle e a coerção social. Por mais que exista uma margem de manobra, em função de maior diversificação de grupos de referência e apoio, existe um limite, embora problemático, que, uma vez ultrapassado, mobiliza sanções e mecanismos de controle e repressão. Vale registrar, no entanto, que a precariedade das instituições legais e policiais, ao lado de numerosíssimas variáveis, passa também pela predominância de relações sociais complexas, não lineares. Uma das maiores dificuldades para a continuidade das sociedades complexas contemporâneas é a de localizar conjuntos de símbolos legitimadores de uma ordem social. Esta crise, como sabemos, é bastante generalizada. Vivemos, certamente, no Brasil, essa problemática acompanhada de uma crescente consciência de sua existência.

VII

DIMENSÃO CULTURAL E POLÍTICA DO MUNDO DAS DROGAS[1]

Faz parte do senso comum, especialmente na imprensa, a noção de um *mundo das drogas*. Gostaria, neste texto, de examinar algumas idéias associadas a essa premissa.

Nas ciências sociais, o conceito/noção de mundo vincula-se principalmente às obras de Georg Simmel e Alfred Schutz, que sugeriram a possibilidade de classificar e identificar domínios da realidade que se distinguiriam através de fronteiras sociológicas e descontinuidades culturais.[2] Particularmente, no nosso caso da sociedade moderno-contemporânea o processo de complexificação e diferenciação tende a multiplicar espaços e domínios sociais e simbólicos que denominamos genericamente de *mundos*. Assim, a existência de um *mundo das drogas* vincular-se-ia à observação de redes sociais que organizam sua produção, distribuição e consumo, bem como a conjuntos de crenças, valores, estilos de vida e visões de mundo que expressariam modos particulares de construção social da realidade. Embora seja possível, em termos muito genéricos, estabelecer tal recorte, parece-me essencial caracterizar a heterogeneidade de um hipotético *mundo das drogas* dentro da amplitude da sociedade contemporânea. Isso aparece, por exemplo, quando pensamos em uma aldeia do altiplano boliviano, em

1. Publicado originalmente em Clara L. Inem e Gilberta Acselrad (orgs.), *Drogas: uma visão contemporânea*. Rio de Janeiro, Imago, 1993, p. 274-279.
2. Simmel, Georg. *On Individuality and Social Forms*. Donald Levine (org.), Chicago, University of Chicago Press, 1971; e Schutz, Alfred. *Fenomenologia e relações sociais*. Rio de Janeiro, Zahar, 1979.

traficantes internacionais de diversas procedências e em centros de consumo em cidades como Nova Iorque, Paris ou Rio de Janeiro. Dentro dessas grandes metrópoles, por sua vez, identificam-se variados grupos, categorias sociais e indivíduos que consomem drogas de modo diferenciado. Já chamei a atenção em outras oportunidades para a necessidade de relativizar e contextualizar o estudo do que se classifica de droga.[3]

> A própria noção de tóxico e o conceito de droga são altamente problemáticos e, dependendo do critério e da posição do investigador, podem abraçar desde a heroína até o papo-de-anjo. [...] A contribuição da antropologia para a compreensão desta problemática consiste em mostrar como existem *n* maneiras de utilizar as substâncias, em função de variáveis culturais e sociológicas. Estas não só se somam, como complexificam as distinções que possam ser registradas ao nível de análise bioquímica.[4]

Não há como, por conseguinte, pressupor comportamentos e atitudes homogêneos dentro do que se costuma chamar de *mundo das drogas*. Trata-se de noção muito ampla, a partir da qual precisamos estabelecer distinções e particularidades. Essas diferenças, até certo ponto, acompanham as fronteiras da estratificação sócio-econômica mais geral. Mas associam-se também às distintas orientações e tradições culturais e às peculiaridades no consumo de drogas específicas como maconha, cocaína, crack, ácido, álcool etc. Historicamente, por sua vez, a mesma droga pode apresentar usos e padrões de consumo muito diferenciados. No caso brasileiro, o uso da maconha é exemplar em termos dessas transformações. Tradicionalmente, essa droga foi consumida por camadas populares em várias regiões do país, tanto no campo como na cidade. É fenômeno muito recente o seu uso mais disseminado nos setores médios e elites. Esse fenômeno só teve o seu início observado a partir da década de 1960. Nas pesquisas que realizei durante os anos 70, registrei alguns depoimentos que explicavam a difusão da maconha pelos setores mais abonados através da sua

3. Velho, Gilberto. "Uma perspectiva antropológica do uso de drogas". *Jornal Brasileiro de Psiquiatria*, v. 29, n. 6, Rio de Janeiro, 1980b, p. 355-8.
4. Velho. op. cit.

introdução por jovens norte-americanos, freqüentadores de elegantes clubes da Zona Sul do Rio de Janeiro. Entre surfistas brasileiros, em contato com seus colegas dos EUA, também difundiu-se o consumo. Ou seja, dentro de um quadro geral de difusão de estilos de vida "contraculturais" dos anos 60, veio também o hábito de fumar maconha. Rapidamente, ainda segundo esses depoimentos, estabeleceram-se relações entre os novos consumidores e tradicionais "bocas-de-fumo" dos morros cariocas. Por outro lado, é inegável que não era uma completa novidade, mesmo para esses setores mais elitizados. Também encontrei pessoas que contavam que "turmas de rua" de Copacabana e Leme, já nos anos 50, teriam tido acesso à maconha. Mas o fato mais significativo em termos culturais foi, justamente, a utilização da droga dentro de um conjunto de valores imbricado a um estilo de vida alternativo. Se na situação anterior dos anos 50 fumar maconha poderia ser alternativa esporádica ao consumo de bebidas alcoólicas, a partir dos anos 60 passa a expressar um significado diferente. Como se sabe, o movimento denominado de contracultura caracterizava-se por uma rejeição de um modo de vida convencional em que os valores familiares, educacionais e de trabalho eram duramente criticados, quando não rejeitados em princípio. Enfatizava-se, por outro lado, uma concepção de mundo em que a liberdade amorosa, sexual, o comunitarismo, um certo tipo de hedonismo e o descompromisso com objetivos materiais eram marcantes. Também não se tratava de um movimento homogêneo. Algumas de suas vertentes incorporaram a utilização regular do ácido lisérgico. De modo geral, a música era um elemento forte e constitutivo do seu modo de vida, sempre enfatizando uma explícita dimensão lúdica.[5]

Desejo frisar, portanto, não só a existência de grupos e categorias que se distinguem no tocante ao seu estilo de vida, mas, principalmente, os múltiplos significados atribuídos à utilização das diferentes drogas. É fundamental compreender que o uso de drogas não deve ser examinado isoladamente. Faz parte de um conjunto ao qual pode estar integrado de modos distintos. Atra-

5. Para maiores detalhes sobre esse movimento, ver Rozsak, Theodor. *A contracultura*. Petrópolis, Vozes, 1972.

vés da antropologia e da história, sabemos como diferentes culturas criaram um espaço próprio para o consumo dos mais variados tipos de drogas, muitas vezes em contextos religiosos, em rituais e cerimônias específicos. Registram-se diversos casos em que a droga é um veículo privilegiado para a comunicação com o mundo dos espíritos e com o sobrenatural. O fenômeno do xamanismo expressa com absoluta clareza essa utilização.[6]

Como observei no trabalho anteriormente citado,

> A questão é que ao se disseminar o uso de drogas por diferentes segmentos da sociedade, especificamente, em famílias de elites e camadas médias, criou-se situação nova. Não se tratava mais de confirmar os estereótipos a respeito das camadas de baixa renda, mas de explicar mudanças de atitudes e comportamento dos filhos, netos, sobrinhos, pessoas próximas do mesmo segmento social. A ameaça vem muito mais de uma mudança global que se manifesta em várias dimensões da vida, com conflito e desencontro dentro das famílias e das escolas.[7]

Portanto, não estamos falando de uma sociedade de pequena escala, tribal ou camponesa, mas de um mundo metropolitano na sociedade industrial de grandes números e extrema diversidade. Nesta, a *negociação de realidade*, constitutiva de toda a vida social, aparece com caráter particularmente dramático em situações que ameaçam fronteiras e definições mais estritas de comportamento e crenças enraizadas.[8]

*

O relativismo cultural da antropologia quando é aplicado em áreas de confronto e impasse, especialmente da sociedade do investigador, traz, sem dúvida, problemas específicos. Insistimos que, para a compreensão do fenômeno das drogas, assim como de qualquer outro, é passo indispensável a sua contex-

6. Eliade, Mircea. *Le Chamanisme et les techniques archaiques de l'extase*. Paris, Payot, 1968.
7. Velho. op. cit.
8. Ver Capítulo II deste livro.

tualização. Todas as tentativas de explicações genéricas, baseadas em premissas fisiológicas e psicológicas, tenderam a ficar no nível da rotulação e da estigmatização. Seria, por outro lado, ingênuo ignorar que o uso de drogas por diferentes grupos só é possível nas nossas circunstâncias sócio-históricas, a partir da existência de redes nacionais e internacionais que expressam interesses políticos e econômicos. Assim, o fenômeno cultural apresenta a sua inevitável dimensão de poder. Especificamente o tráfico internacional de drogas mobiliza recursos e atores que atuam de modo clandestino ou semiclandestino, constituindo-se em poderoso instrumento de poder. Também não atua isoladamente, mas articula-se a outras atividades ilegais como o tráfico de armas, aparecendo, constantemente, misturado a negócios oficiais de exportação e importação. Sabe-se da fragilidade das fronteiras entre atividades legais e ilegais em várias áreas do comércio internacional. Como o tráfico de drogas é uma das atividades mais lucrativas de que se tem conhecimento, torna-se uma tentação quase irresistível para certos aplicadores de capital menos éticos. Esta é a principal razão para as imensas dificuldades de controlar a circulação de drogas através de medidas policiais e repressivas em geral. Já começa a se disseminar pelos setores mais iluminados do aparelho legal a idéia de que a criminalização e perseguição ao mero usuário constituem perda de tempo e de energia. Por outro lado, sabe-se cada vez mais das conexões entre traficantes e poderosos setores das elites oficiais, tanto econômicas quanto políticas de diversos países. Fica claro que a questão das drogas apresenta uma dimensão muito maior e mais complexa, tanto em termos nacionais, quanto em termos internacionais. A magnitude dos recursos, a extensão de redes e a articulação de setores e interesses variados configuram um quadro em que as batidas policiais para prender usuários e pequenos traficantes soam inúteis e ridículas.

*

Um cientista social que trabalhe seriamente, com um mínimo de rigor, deve se proteger de visões preconceituosas e etnocêntricas. Esta é a lição básica da antropologia. A noção de *cultura* valoriza a *rede de significados*, a *construção social da realidade*, a identificação do arbitrário e a percepção das diferenças de visão de mundo e estilo de vida. Isso tem sido fundamental para buscar não só as diferenças entre sociedades mas, cada vez mais, nos nossos termos, a heterogeneidade interna de sociedades complexas e contemporâneas como a brasileira. Essa reflexão, de natureza antropológica, tem servido de base para a sustentação contra a tentativa de impor modelos únicos e homogeneizadores de condutas e atitudes. Tem se constituído também em instrumento precioso na defesa de um pluralismo sociocultural que valoriza diversas alternativas e, sobretudo, a liberdade existencial dos indivíduos que transitam entre diferentes *domínios* e *mundos de significado*.

Mas é preciso ser cuidadoso para não reificar essa liberdade de optar por um estilo de vida, onde o uso eventual ou rotineiro de drogas "leves" ou "pesadas" faz parte de um possível repertório sociocultural, sem maiores ilações de natureza política e econômica.

Como já disse, a existência de um tráfico internacional de drogas, parte do fenômeno da *globalização*, não permite essa visão de universos autônomos e estanques. Efetivamente, a atuação de um sistema clandestino associado à criminalidade produz uma série de situações onde a violência generaliza-se, seja através de competição e brigas de quadrilhas, seja através da montagem de esquemas de controle. Assistimos ao desenvolvimento de um poder paralelo às estruturas oficiais e legais. Há um imenso acúmulo de recursos e poder que põe em xeque, em alguns casos, a própria existência de estados nacionais. Assim, ao lado da luta pela descriminalização do uso de chamadas "drogas leves", é necessário concentrar esforços na campanha contra o grande tráfico que, de fato, se constitui em ameaça ao desenvolvimento e consolidação da democracia.

São dois níveis de atuação que, devidamente articulados, poderão representar um ponto de equilíbrio nas estratégias até hoje acionadas.

VIII

LITERATURA E DESVIO: PROUST E NELSON RODRIGUES[1]

Estou interessado em perceber e identificar como aparece na literatura moderna a questão do *desvio*. Particularmente, tomo as obras de Marcel Proust e Nélson Rodrigues como pontos de referência. Ver-se-á que a escolha não é arbitrária e corresponde à valorização de certos aspectos que considero reveladores sob o ponto de vista de uma Teoria da Cultura.

*

O *desvio* é tema recorrente na literatura. Há diversas nuanças na maneira de tratá-lo. Mencionarei algumas que me parecem mais típicas ou que exemplificam com nitidez maior uma visão do *desvio* e, através dele, da sociedade.

Existe a tradição pedagógico-moralista bem exemplificada pelos trabalhos de Delly e da literatura de folhetim em geral. Caracteriza-se por forte maniqueísmo e na sua vertente religiosa apresenta o pecado como tema-chave. Há heróis, heroínas e vilões, com papéis claros e bem delimitados.[2] O vilão ou vilã é a encarnação de defeitos, pecados, em suma, um desviante consumado. A luta contra as tentações de quebra das normas e do desregramento constitui parte das provações por que passam os heróis. Há desviantes recuperáveis e irrecuperáveis. Há grada-

1. Publicado originalmente em *Caminhos cruzados*. São Paulo, Brasiliense, 1982, p. 81-8.
2. Ver Prado, Rosane Manhães. "Um ideal de mulher: estudo dos romances de M. Delly". *Perspectivas Antropológicas da Mulher 2*. Rio de Janeiro, Zahar, 1981, p. 71-112.

ções de *desvio*. É interessante verificar a partir de que marco ou fronteira se estabelece um *point of no return*. De qualquer forma, o conteúdo moralista manifesta-se claramente com a punição dos vilões e com o triunfo e redenção dos heróis. Há também toda uma linha de romances de aventura, próxima ao folhetim, em que esse tom aparece com bastante nitidez. A obra de Alexandre Dumas, embora com algumas nuanças, é bom exemplo. Em *Os três mosqueteiros*, Milady é a encarnação do mal, com aspectos verdadeiramente demoníacos, assim como seu filho em *Vinte anos depois*. É má, depravada e criminosa. O filho será o vilão da vingança — frio, sem escrúpulos e cruel. Em compensação já há personagens mais ambíguos como o próprio conde de Rochefort que, se no primeiro livro está bastante próximo a Milady, no segundo revela-se parcialmente recuperado, capaz de ações dignas e meritórias. No extremo da bondade temos a "infeliz Constance Bonacieux", vítima da perfídia dos inimigos. Por outro lado, paira a idéia de que mesmo os heróis, ao se oporem aos vilões, são obrigados a acionar instrumentos nem sempre *caritativos*. Há uma moral do guerreiro que corresponde a outra vertente da literatura ocidental e que aparece também em Walter Scott, Alexandre Herculano, apenas para mencionar autores mais conhecidos. Mas pode pairar certa dúvida sobre o acerto de suas ações. O julgamento e execução de Milady pelos mosqueteiros constitui um problema ético no decorrer de toda a trilogia.[3] O tema de vingança, em geral, é propício ao florescimento da dúvida e da incerteza morais. Não só na trilogia dos mosqueteiros, mas, particularmente, no *Conde de Monte Cristo*, a ambigüidade do herói que se vinga constitui um gênero em que a distinção entre Bem e Mal pode ser bastante problemática.[4] A complexificação dos personagens com sua psicologização corresponde a determinado tipo de ênfase e valorização dentro da ideologia individualista. Os personagens são menos paradigmas e mais tipos psicológicos. A literatura do século XIX, com os exemplos notórios de Flaubert, Stendhal, Balzac, Dickens, Machado de Assis e outros, se notabilizará pela

3. *Os três mosqueteiros*; *Vinte anos depois*; e *O Visconde de Bragelone*.
4. Ver o trabalho clássico de Cândido, Antônio. "Da vingança", in *Tese e antítese*. São Paulo, Companhia Editora Nacional, 1964, p. 1-28.

construção de verdadeiras galerias de perfis psicológicos variados e complexos. Há lugar para a virtude e para o vício. Este já é mais explicado pela biografia mesmo quando são enfatizadas heranças familiares, como em Zola. A vileza, a maldade e a mesquinharia aparecem dentro de um *contexto* em que a ação do meio aparece como primordial. Existem os heróis do esgoto que superam esses condicionamentos e limitações para afirmar sua individualidade valorosa, como em Victor Hugo. O próprio *Corcunda de Notre Dame* é a afirmação de uma nobreza de coração aprisionada dentro de um corpo deformado, vítima de intolerância e preconceito.

*

A explicação do *desvio* esvazia em parte a dimensão maniqueísta. "Explica, mas não justifica"; digamos, ameniza. O bandido violento, a sórdida prostituta, o viciado incurável passaram por situações e experiências em que sua humanidade foi desqualificada, tornando-os vítimas de circunstâncias. O *desvio* passa a ser visto não apenas como um estigma moral, mas também como um problema social. Os *social reformers* estão particularmente atentos aos males e deformações da sociedade.

Mais adiante, o desviante pode ser herói não só por ter um "lado bom" e ser recuperável, mas também porque a sociedade é injusta e tirânica. Daí é um passo para torná-lo um vanguardista, um verdadeiro herói civilizador. Pode-se chegar facilmente à apologia do *desvio* como acontece, de certa forma contemporaneamente, nas obras de Genet e Burroughs. A literatura existencialista está cheia de exemplos parecidos, como em Sartre e Camus. Não é meu objetivo exaurir o tema do *desvio* na literatura, mas dar apenas algumas indicações, sem maiores pretensões sistemáticas, antes de introduzir a questão da teoria do *desvio* e da cultura em Proust e Nélson Rodrigues.

*

A leitura de Deleuze sugeriu-me algumas reflexões sobre os *segredos* do *A la recherche du temps perdu*. A idéia de *segredo* parece-me ser também fértil para lidar com a questão do *desvio* em Nélson Rodrigues.

Na obra de Proust temos o *desvio* como tema recorrente. Especificamente, o homossexualismo, seja no caso de Charlus seja no de Albertine, é motivo de longas e contínuas especulações. Parece-me que o fato de esses dois importantes personagens serem ou não homossexuais não é o mais importante para compreender a questão do *desvio* em Proust. Sem dúvida, passa necessariamente pela especificidade desse *desvio*. A homossexualidade aparece não só como fonte de sociabilidade, prazer, amor etc., mas também como uma possibilidade permanente. Como em verdadeiras *metamorfoses*, certos personagens, diferentes de Charlus e Albertine, revelam-se homossexuais. Ou já eram, e não se sabia, ou tornam-se. Saint-Loup, nesse sentido, é exemplar. O mesmo pode dar-se com uma simples e simpática lavadeira ou com o alfaiate da esquina. De certa forma, Proust descreve um mundo subterrâneo, clandestino, onde florescem Sodoma e Gomorra, com seus hábitos e códigos particulares. Mas trata-se de um *mundo paralelo*, para onde as pessoas se deslocam, entram e saem, quase despercebidas. O *segredo*, portanto, não é o de indivíduos específicos, mas de uma dimensão da sociedade, o seu verdadeiro reverso. Mais ainda, a base do *segredo* é o *pacto* da heterossexualidade,[5] que permite a reprodução e a continuidade da vida social. O *desvio* não é algo estranho à sociedade, faz parte dela, de certa forma a constitui. Mas deve ser controlado, ou simplesmente se constata, *é controlado*, pois se vier à luz do dia, se não for reprimido (nos nossos termos), a sociedade está ameaçada. Proust, portanto, não condena nem faz o elogio do homossexualismo, do *desvio* em geral. Revela o seu impasse. Há personagens particularmente trágicos, como Charlus, que, progressivamente, abrem mão das aparências e rompem abertamente com o *pacto*, tornando-se estigmatizados e objeto de ridículo. A heterossexualidade aparece, por conseguinte, em Proust, não como melhor ou mais normal, mas como *necessária*. A homossexualidade não é anormal nesses termos. O problema consiste exatamente na sua permanente pos-

5. Obviamente *pacto* aqui tem um sentido metafórico. Não envolve a noção de indivíduos-sujeitos conspirando e tramando em determinado momento.

sibilidade de atualização que pode levar a impasses para a continuidade da sociedade. Essa procura sempre se reproduz e a homossexualidade é estéril. Daí o seu caráter de maldição, a verdadeira "figueira do inferno".[6] Não há moralismo em Proust. Há uma profunda reflexão sobre as necessidades do todo — a sociedade — esmagando e submetendo os desejos e vontades individuais. O que chamamos de *desvio* existe e não está fora da sociedade, mas esta anda sempre em uma corda-bamba, sustentada por um *pacto*. Há, portanto, toda uma teoria da cultura e da sociedade que incorpora o tema do *desvio* como elemento *revelador* de sua natureza.

Em Nélson Rodrigues, a temática do *desvio* é permanente, aparecendo sob as mais variadas formas. Parece-me, no entanto, que o *incesto* constitui o ponto nevrálgico da visão do autor sobre a sociedade e a cultura. As relações familiares são objeto constante de suas descrições e obsessões. Dentro delas destaca-se a tentação do incesto, seja com cunhados, irmãos, primos, genros, hetero ou homossexuais. Talvez a questão apareça com maior nitidez em uma de suas chamadas "peças míticas" — *Álbum de família*, onde o incesto é tema e foco centrais. O mais carregado de impacto dramático, entre mãe e filho, leva à loucura, à insanidade propriamente dita. A ênfase na perversão, na "tara", na patologia e sua revelação não me parece ser o *segredo* rodrigueano. A descoberta que, mais cedo ou mais tarde, se consuma de forma intensamente dramática expressa também algo além de questões individuais ou de famílias específicas. Está em jogo outro *pacto* ou, como veremos, talvez o mesmo de Proust. Trata-se da *exogamia*. Nos termos de Lévi-Strauss há que haver circulação de mulheres entre os grupos, troca e reciprocidade.[7] Daí o tabu do incesto. A vida social é possível a partir da comunicação entre grupos e unidades familiares em que as mulheres material e simbolicamente concretizam as alianças, através de princípios de reciprocidade.[8] Nélson

6. Ver Deleuze, Gilles. *Proust et les signes*. Paris, Puf, 1964.
7. Ver, especialmente Capítulos I, II, III, IV e V, Lévi-Strauss, Claude. *As estruturas elementares do parentesco*. Petrópolis, Vozes, 1976.
8. É importante ler, a respeito de novelas de televisão, o trabalho inédito de Yvonne Maggie, *A quem devemos servir*: *notas sobre a novela das sete* (inédito), onde se discute, entre outros pontos, a temática do relacionamento entre consangüíneos e afins.

Rodrigues não precisaria ter lido antropologia para revelar com vigor a tentação do incesto. A exogamia é o artificial, o imposto, a regra, o *pacto*, constituindo, portanto, as bases da sociedade. Trata-se da cultura propriamente dita, recriando e transformando a natureza.

A tragédia de Senhorinha e Nonô é que cedem à tentação que ronda a todos e que se faz força quase incontrolável. Guilherme se mutila para destruir o desejo pela irmã. Edmundo não consegue relacionar-se com outras mulheres, sempre obcecado pela mãe. Jonas vê a filha no rosto de todas as meninas que procura. Mais uma vez, o *segredo* relevante não é o de indivíduos particulares, mas a revelação de algo que a todos, de certa forma, pertence. Nélson Rodrigues não precisaria também ter lido Freud, estudando problemas edipianos, e poderia ser contra a psicanálise, à medida mesmo que, o que para alguns pode parecer paradoxal, sua visão da sociedade implica termos essencialmente abrangentes e, por que não dizer, *culturais*. De fato, rejeitava explicações psicanalíticas, historicistas e sociologizantes. Chegou a criar o personagem *A Estudante de Sociologia da PUC*, a quem constantemente ironizava. Minha opinião é de que, quando o autor discute o incesto, está dizendo algo parecido com o que antropólogos como Mauss, Lévi-Strauss e outros nos ensinaram. Paga-se um preço elevado pela vida em sociedade. É necessário abrir mão de coisas essenciais e lutar contra os "instintos". Os desviantes são os *damnés*, que escapam, subterraneamente, ao controle social e que, fatalmente, como na tragédia grega, pagarão o preço de sua anormalidade, de sua "desumanidade", de sua negação da Cultura e de suas regras. Também não estão fora da sociedade. Vivem mais dramaticamente e sucumbem diante das restrições que se tornam impasses insolúveis. O incesto é condenável e a exogamia é necessária. Em *Álbum de família* até um adultério pode ser usado para encobrir o incesto que, de fato, é a força que se revela mais destrutiva.

*

Portanto, temos um autor francês, requintado, da "Belle Époque", consagradíssimo, mas considerado por muitos como frívolo e decadente. De outro lado, temos um autor contemporâneo, brasileiro, acusado várias vezes de reacionário e vulgar. É verdade que tem sido redescoberto e recuperado. Talvez seja um *tour de force* tentar juntá-los. Admito que outros autores poderiam ser considerados, como Faulkner, por exemplo. Mas o contraste aparente entre Proust e Nélson Rodrigues é tão grande que é difícil escapar à tentação (!) de aproximá-los dentro de uma Teoria da Cultura e da Sociedade verdadeiramente radical. Ou seja, que ponha em xeque, relativize e estranhe as próprias regras básicas de sua constituição.

O homossexualismo e o incesto são apresentados como possibilidades e, mais do que isso, como alternativas ou até "inclinação" que podem ter a ver com a natureza. Ambos os autores apresentam a tensão e o preço que se paga pela humanização através da cultura, das normas e das regras, estabelecendo o controle social e, portanto, o *desvio*. Este não é visto isolado nem sob uma forma moralizante, a favor ou contra. É constatado quase como inevitável na constituição da vida social. A força do *destino* e dos deuses da tragédia grega aparece como o poder de coerção do social sobre os indivíduos. O *desvio*, assim, está sempre próximo à loucura. O enlouquecimento é possibilidade permanente tanto para os personagens de Proust como de Nélson Rodrigues. Proust chega a se perguntar se na realidade Charlus e Albertine não seriam loucos. Em Nélson Rodrigues a insanidade e o delírio estão colados às ações dos indivíduos que transgridem as regras. O *desvio*, levado às últimas conseqüências, não afasta propriamente o indivíduo da sociedade, mas vai conduzi-lo a um mergulho, a uma viagem que muda os sinais, as direções e o mapa. O conhecimento assim obtido é, de certa forma, incomunicável. Essa solidão de incomunicabilidade, a tentativa infrutífera de explicar-se pode ser sinônimo da loucura, algo que, em última análise, é uma experiência essencialmente cultural.

IX

MEMÓRIA, IDENTIDADE E PROJETO[1]

É vasta a literatura em antropologia sobre identidade em seus mais diferentes aspectos. As dimensões étnica, de gênero, etária estão entre aquelas que se somam às problemáticas tradicionais de classe e estratificação social.

Na realidade, é a preocupação científica e política com a *diferença* que, em parte, explica a riqueza e o desenvolvimento dessa área de reflexão nas últimas décadas.

A complexidade e a heterogeneidade da sociedade moderno-contemporânea tem como uma de suas características principais, justamente, a existência e a percepção de diferentes visões de mundo e estilos de vida. Uma das questões mais interessantes e polêmicas é verificar até que ponto a participação em um estilo de vida e em uma visão de mundo, com algum grau de especificidade, implica uma *adesão* que seja significativa para a demarcação de fronteiras e elaboração de identidades sociais. É evidente que existe uma básica diferença entre uma identidade, socialmente já dada, seja étnica, familiar etc. e uma adquirida em função de uma trajetória com opções e escolhas mais ou menos dramáticas. A multiplicidade de referências, seja em termos de grupos ou de atitudes, às vezes aparentemente contraditórias, leva à problemática da fragmentação, para alguns autores, um dos indícios da *modernidade*. Se, por um lado, as ideologias individualistas marcam o advento do indivíduo-sujeito, por outro lado expressam a fragmentação de domínios que sucede a uma ordem

1. Publicado originalmente em *Revista Tempo Brasileiro*, n. 95, out./dez., 1988, p. 119-26.

tradicional hipoteticamente mais integrada. Na realidade, são as duas faces da mesma moeda.[2] As possíveis unidades englobantes, "encompassadoras" — nação, linhagem, família, partido, igreja — variam no seu maior ou menor vínculo com os dois modelos polares — o da tradição e o da modernidade. De qualquer forma, à medida que o indivíduo se destaca e é cada vez mais sujeito, muda o caráter de sua relação com as instituições preexistentes, que não desaparecem necessariamente mas mudam de caráter, embora de forma conflituosa, como a história da Igreja demonstra de maneira clara. Novas formas de sociabilidade vão se desenvolver, acompanhando os paradigmas emergentes. Mas não se estabelece uma dominância absoluta — holismo, tradição permanecem presentes em amplas áreas da vida social e do sistema de representações. Assim é que a família conjugal moderna não se torna exclusiva, convivendo com maior ou menor nitidez, com a família extensa e o universo de parentesco tradicional.

Essa coexistência, mais ou menos tensa, entre diferentes configurações de valores é uma das marcas de vida na sociedade moderna. Existem várias maneiras de lidar com essa ambigüidade. A adesão vigorosa e militante a uma ordem de valores, religiosa ou não, é uma alternativa possível, dentro de uma trajetória de vida, podendo ser provisória ou definitiva. A circulação entre vários estilos de vida e uma participação limitada ou, mesmo, um certo grau de sincretismo pode ser outro caminho, bastante comum. A atitude *blasé*, analisada por Simmel em contexto metropolitano, com uma certa indiferença e distanciamento em relação à multiplicidade de estímulos e situações é outra possibilidade. O ceticismo radical, em parte expresso no *Homem sem qualidades* de Musil onde nada tem significado relevante é também uma resposta possível às descontinuidades e fragmentação da sociedade moderna. Enfim, existe um *campo de possibilidades* que, se

2. Ver Dumont, Louis. *Homo hierarchicus: essai sur le système des castes*. Paris, Gallimard, 1966; id., *Homo aequalis: genèse et épanouissement de l'idéologie économique*. Gallimard, Paris, 1977; e Simmel, Georg. *On Individuality and Social Forms*. Donald Levine (org.), Chicago, University of Chicago Press, 1971; id., *The Sociology of Georg Simmel*. Kurt H. Wolff (org.), Nova York, The Free Press, 1964b.

não é exclusivo, é bastante típico desta sociedade, aparecendo fortemente solidário com o desenvolvimento de ideologias individualistas.[3]

*

É a partir deste quadro inicial que passo a estabelecer relações entre *memória* e *projeto* e sua importância para a constituição de identidade(s).

Em uma sociedade tradicional, holista, em que o indivíduo é englobado pelo clã, linhagem, tribo etc., a memória socialmente relevante é a da unidade "encompassadora". Thomas Mann, no seu *José no Egito*, percebe isso com muita perspicácia ao identificar personagens bíblicos que podem ser um *conjunto de indivíduos* biológicos, de diferentes gerações, com uma identidade comum dada pelo nome e pela linhagem.

Vários antropólogos defrontaram-se com situações semelhantes em vários contextos culturais. Ou seja, a biografia do indivíduo biológico não é enfatizada, em proveito da ênfase na continuidade de uma categoria social abrangente, a ponto de não ficar claro se um fato narrado ocorreu com o indivíduo biológico A ou B, pertencentes à mesma linhagem, categoria etc. Obviamente isso não significa que não haja consciência ou percepção do ciclo vital dos indivíduos A e B que nascem, vivem e morrem. Mas a persistência da unidade englobante é permanentemente fixada através de mitos, narrativas que reforçam o pertencimento dos indivíduos biológicos àquelas unidades. Assim a *memória socialmente significativa* é a da unidade englobante, havendo pouca ênfase ou reconhecimento da noção de biografia no sentido moderno. Ou seja, em qualquer sociedade há processo de *individuação*, através de inserção do lugar do indivíduo na sociedade e do desempenho de seus papéis sociais. Mas a *individualização* seria própria das sociedades ou segmentos sociais onde florescem *ideologias individualistas* que fixam o indivíduo socialmente significativo, como valor básico da cultura.

3. Simmel. op. cit.; e Musil, Robert. *L'Homme sans qualités*. Paris, Seuil, 1956.

*

Nas sociedades onde predominam as ideologias individualistas, a noção de biografia, por conseguinte, é fundamental. A trajetória do indivíduo passa a ter um significado crucial como elemento não mais contido mas constituidor da sociedade. É a progressiva ascensão do indivíduo psicológico, que passa a ser a medida de todas as coisas. Nesse sentido a *memória* desse indivíduo é que se torna socialmente mais relevante. Suas experiências pessoais, seus amores, desejos, sofrimentos, decepções, frustrações, traumas, triunfos etc. são os marcos que indicam o sentido de sua singularidade enquanto indivíduo, que é constantemente enfatizada. Carreira, biografia e trajetória constituem noções que fazem sentido a partir da eleição lenta e progressiva que transforma o indivíduo biológico em valor básico da sociedade ocidental moderna. A psicologização da sociedade é etapa decisiva nesse processo. O psiquismo individual é, nesta vertente, o foco privilegiado de significados. Não se trata apenas da criação e expansão de terapias de diferentes tipos mas, sobretudo, da difusão de um discurso que possa permear, inclusive, o senso comum de boa parte da sociedade. A *memória* tem um significado fundamental nesse processo. O inconsciente freudiano, a repressão, as associações, assim como as escolhas e opções a nível individual constituem a matéria-prima de toda uma vertente mais do que expressiva da produção e do consumo intelectuais contemporâneos. Cumpre lembrar que, em termos antropológicos, como foi mencionado antes, esse processo não é *natural*. Outras sociedades e culturas privilegiam outras unidades como fundamentais e significativas. Mesmo dentro da chamada sociedade ocidental moderna, há descontinuidades e diferenças em termos sociológicos e culturais em relação à maior ou menor valorização do indivíduo. Há segmentos e situações sociais em que fica evidente a subordinação do indivíduo a unidades englobantes e hierarquizantes. As instituições e grupos religiosos já foram objeto de consideração a esse respeito. O mundo militar, mesmo certas organizações empresariais, a continuidade ou mesmo revalorização de universos de parentesco, de vizinhança, demonstram a presença de um *holismo*, obviamente diferente do hindu ou daquele do ocidente medieval, matizando ou contrabalançando a predominância das ideologias individualistas.

Alfred Schutz desenvolveu a noção de *projeto* como "conduta organizada para atingir finalidades específicas".[4] Embora o ator, em princípio, não seja necessariamente um indivíduo, podendo ser um grupo social, um partido, ou outra categoria, creio que toda a noção de *projeto* está indissoluvelmente imbricada à idéia de indivíduo-sujeito. Ou invertendo a colocação — é indivíduo-sujeito aquele que faz *projetos*. A consciência e valorização de uma individualidade singular, baseada em uma *memória* que dá consistência à biografia, é o que possibilita a formulação e condução de *projetos*. Portanto, se a *memória* permite uma visão retrospectiva mais ou menos organizada de uma trajetória e biografia, o *projeto* é a antecipação no futuro dessas trajetória e biografia, na medida em que busca, através do estabelecimento de objetivos e fins, a organização dos meios através dos quais esses poderão ser atingidos. A consistência do *projeto* depende, fundamentalmente, da *memória* que fornece os indicadores básicos de um passado que produziu as circunstâncias do presente, sem a consciência das quais seria impossível ter ou elaborar *projetos*. Não pretendo, nem Schutz pretendia, trabalhar com a idéia de um indivíduo-sujeito cognitivo racional, capaz de armar estratégias e fazer cálculos, organizando seus dados e atuando cerebralmente. As circunstâncias de um presente do indivíduo envolvem, necessariamente, valores, preconceitos, emoções. O *projeto* e a *memória* associam-se e articulam-se ao dar *significado* à vida e às ações dos indivíduos, em outros termos, à própria *identidade*. Ou seja, na constituição da *identidade* social dos indivíduos, com particular ênfase nas sociedades e segmentos individualistas, a *memória* e o *projeto* individuais são amarras fundamentais. São visões retrospectivas e prospectivas que situam o indivíduo, suas motivações e o significado de suas ações, dentro de uma conjuntura de vida, na sucessão das etapas de sua trajetória.

4. Schutz, Alfred. *Fenomenologia e relações sociais*. Rio de Janeiro, Zahar, 1979.

Na sociedade moderno-contemporânea o indivíduo, como já foi observado, está exposto a múltiplas experiências, contraditórias e eventualmente fragmentadoras. A *memória* e o *projeto*, de alguma maneira, não só ordenam como dão significado a essa trajetória. Embora a coerência linear não seja um valor universal em nossa sociedade, algum tipo de consistência, dentro de valores e modelos particulares e variados, parece ser importante para a continuidade de trajetórias individuais e sociais. Algumas das correntes e autores que enfatizam o "nonsense", o absurdo, a falta de sentido etc. de vida na sociedade moderna demonstram uma certa nostalgia de um passado em que o mundo faria mais sentido.[5] É claro que céticos ou niilistas radicais negam qualquer significado ou sentido à vida em qualquer momento da história da humanidade. Mas não pretendo me deter, aqui, na análise desta linha de pensamento. Por ora, quero enfatizar o sentimento e a necessidade, sociologicamente identificáveis em vastos segmentos da sociedade moderna, de dar um sentido às experiências individuais. O individualismo aparece qualificado, com conotações e ênfases variadas. Simmel fez a distinção, hoje clássica, entre individualismo quantitativo, da igualdade, e qualitativo, da singularidade.[6]

Outras qualificações são acionadas como, por exemplo, individualismo produtivista, narcísico, hedonístico, agonístico.[7]

Essas ênfases estão mais ou menos coladas a fenômenos de natureza sociológica como estratificação social, grupo de status, orientação religiosa, ocupação, grupo etário etc. Mas é importante frisar o caráter constitutivo das ideologias individualistas, quando se valoriza a instauração de *significados*, características do fenômeno cultural propriamente dito. Na realidade, esse movi-

5. Ver, por exemplo, Lasch, Christopher. *The Culture of Narcisism*. Nova York, Norton, 1978; e Sennet, Richard. *The Fall of Public Man*. Nova York, Vintage Books, 1978.
6. Simmel. op. cit.
7. Ver Velho, Gilberto. *Individualismo e cultura: notas para uma antropologia da sociedade contemporânea*. Rio de Janeiro, Zahar, 1981; 3. ed., Jorge Zahar, 1994; e id., *Subjetividade e sociedade: uma experiência de geração*. Rio de Janeiro, Jorge Zahar Editor, 1986.

mento valoriza, de um modo geral, a força constitutiva de modelos, paradigmas e configurações culturais que atuam sobre a sociedade, produzindo efeitos a nível sociológico, político e econômico.

*

Nos termos de Helmut Wagner, interpretando Schutz, "a memória, voltada retrospectivamente de forma reflexiva, é suplementada pela antecipação, voltada para a frente, prospectivamente. A ação deliberada resulta de planejamento, do estabelecimento de um objeto e de imaginá-lo sendo realizado, e ainda da intenção de realizá-lo, independente do plano ser vago ou existir como *projeto* detalhado passo a passo".[8]

A memória é fragmentada. O sentido de identidade depende em grande parte da organização desses pedaços, fragmentos de fatos e episódios separados. O passado, assim, é descontínuo. A consistência e o significado desse passado e da memória articulam-se à elaboração de *projetos* que dão sentido e estabelecem continuidade entre esses diferentes momentos e situações.[9]

Por outro lado, o *projeto* existe no mundo da intersubjetividade. Por mais velado ou secreto que possa ser, ele é expresso em conceitos, palavras, categorias que pressupõem a existência do Outro. Mas, sobretudo, o *projeto* é o instrumento básico de *negociação da realidade* com outros atores, indivíduos ou coletivos. Assim ele existe, fundamentalmente, como meio de comunicação, como maneira de expressar, articular interesses, objetivos, sentimentos, aspirações *para o mundo*.

O *projeto* não é abstratamente racional, como já mencionei, mas é resultado de uma deliberação consciente a partir das circunstâncias, do *campo de possibilidades* em que está inserido o sujeito. Isso implica reconhecer limitações, constrangimentos de todos os

8. Wagner, Helmut R. *Alfred Schutz: an intellectual biography*. Chicago, The University of Chicago Press, 1983.
9. O trabalho clássico sobre memória, sem dúvida, é o de Halbwachs, Maurice. *Les cadres sociaux de la mémoire*. La Haye, Mouton, 1976.

tipos, mas a própria existência de *projeto* é a afirmação de uma crença no indivíduo-sujeito. A identidade, por conseguinte, depende dessa relação do *projeto* do seu sujeito com a sociedade, em um permanente processo interativo. Sem dúvida, um sujeito pode ter mais de um *projeto*, mas, em princípio, existe um principal ao qual estão subordinados os outros que o têm como referência. De forma aparentemente paradoxal em uma sociedade complexa e heterogênea, a multiplicidade de motivações e a própria fragmentação sociocultural ao mesmo tempo que produzem quase que uma necessidade de *projetos*, trazem a possibilidade de contradição e de conflito. Por isso mesmo, o *projeto* é dinâmico e é permanentemente reelaborado, reorganizando a memória do ator, dando novos sentidos e significados, provocando com isso repercussões na sua identidade. Assim a biografia, valorizada ao extremo em um mundo individualista, está sujeita a periódicas revisões e reinterpretações.[10] A idéia, já do senso comum, de que a memória é seletiva, em parte se explica, por essa dinâmica dos *projetos* e da construção de identidade, que leva as referências do passado a um processo permanente de *des* e *re*construção. É claro que estou tangenciando as questões psicanalíticas, que estão fora de minha alçada. Mas ao valorizar os processos conscientes de escolha, de opção, não pretendo negar a importância dos mecanismos inconscientes, estudados pela psicanálise. Obviamente há pontes e vínculos entre esses dois mundos. Quero, no entanto, enfatizar, na linha de Schutz, a dimensão da ação social, o que não significa desconhecer que as circunstâncias e o *campo de possibilidade* de onde brotam *projetos* estão profundamente afetados por uma dimensão irracional e não-consciente.

Para finalizar, resta assinalar que é complexa a discussão sobre até que ponto o *projeto* referido a um indivíduo-sujeito é exclusivo de sociedades ou segmentos onde as ideologias individualistas predominaram. Schutz, até certo ponto, está discutindo questões que pretende universais. De modo mais cauteloso, prefiro limitar o alcance de minhas afirmações mais enfáticas aos mundos individualistas. No entanto, insisto que mesmo nos sistemas hierar-

10. Velho. op. cit.

quizantes, holistas, tradicionais, mais fechados, podem ocorrer fenômenos usualmente alocados à sociedade moderna.[11] Creio que a tensão permanente entre hierarquia e processos de individuação, que podem estar associados a ideologias individualistas, surge nos mais diferentes segmentos sociais e culturais. Até certo ponto, sem rejeitar a objetividade científica, vejo a possibilidade de diferentes leituras, a partir de preocupações e perspectivas teóricas distintas.

11. Velho, Gilberto. "Destino e projeto: uma visão antropológica", in Eduardo Prado (org.), *Destino*. Terceira Margem, 1988.

X

O GRUPO E SEUS LIMITES[1]

Nos últimos meses de 1990 registrou-se no Rio de Janeiro uma série de assassinatos que despertou um clamor público talvez inédito. Foram realizadas manifestações e passeatas com a presença de políticos de vários partidos. Na imprensa escrita abriu-se um espaço para grandes reportagens e artigos sobre o assunto. No rádio e na TV produziram-se diversos programas com entrevistas e debates. Velhos crimes ainda impunes saíram do esquecimento público. Organizou-se, com relativa rapidez, um movimento social de alguma complexidade. O ineditismo de fato é aparente. Sem considerar outros episódios de alguma repercussão,[2] em 1963 houve um assassinato no Rio de Janeiro com características sociologicamente próximas que teve um impacto de amplitude comparável. Também, naquela época, a imprensa abriu um espaço, talvez ainda maior, com grande destaque para o crime. A vítima era o estudante Odilo Costa Neto, filho de família de prestígio social elevado. Seu pai era destacado jornalista e intelectual respeitado e querido. As circunstâncias do crime configuravam uma situação de grande dramaticidade. Odilo morreu defendendo sua namorada em um assalto à mão armada perpetrado por um adolescente negro. Ao lado da violência absurda, da denúncia da insegurança que começava a se espraiar nas ruas da cidade houve, por parte

1. Publicado originalmente in *Revista USP*, n. 9, mar./abr./mai., 1991, p. 23-6.
2. Há que destacar o importante movimento associado aos "crimes contra mulheres" que nos últimos dez anos desempenhou significativo papel em defesa dos direitos femininos.

da família e amigos de Odilo, um claro enunciamento da dimensão social do crime.[3] Ou seja: o criminoso — menor, pobre e negro — era também vítima. Na ocasião foi desencadeada uma cruzada moral que entre algumas conseqüências produziu uma reforma do antigo SAM (Serviço de Assistência ao Menor) que veio dar origem à Funabem (Fundação Nacional do Bem-Estar do Menor).

As vítimas de 1990 eram, na sua maioria, também membros de famílias e camadas médias bem relacionadas. Eram jovens filhos de profissionais liberais. Num curto espaço de tempo sucederam-se os episódios que configuravam um quadro de grande insegurança, explicitando a vulnerabilidade das pessoas que saíam de casa para programas inocentes como ir à praia, tomar um chope num bar conhecido, levar a namorada ao cinema. Políticos, intelectuais e familiares das vítimas, em diferentes tipos de pronunciamentos, denunciaram as condições gerais da cidade e da sociedade procurando precisar o significado dos crimes. Portanto nos dois episódios, de 1963 e 1990, as vítimas foram jovens de camadas médias cujas famílias tinham prestígio social, dispunham de acesso à imprensa e participavam de redes sociais com forte potencial de mobilização. Há que registrar que em 1990 um dos assassinados era pobre e negro, mas as circunstâncias de sua morte o aproximaram dramaticamente dos outros. De qualquer forma todos os crimes ocorreram na zona sul da cidade, em áreas e locais freqüentados por elites e grupos mais abonados.

*

Em 1948, o sociólogo americano Everett C. Hughes proferiu uma conferência na McGill University, em Montreal, depois de uma viagem à Alemanha. Transformou-se anos mais tarde, no artigo célebre "Good People and Dirty Work".[4]

3. Esses fatos estão fartamente documentados nos jornais e revistas da época.

4. Hughes, Everett C. "Good People and Dirty Work". *Social Problems*, vol. X, verão, 1962, p. 85-97. Publicado posteriormente in *The Sociological Eye: selected papers on institutions and race*. Chicago, Aldine Athernon, 1971, p. 87-97.

Hughes visitou a Alemanha pós-guerra conversando e entrevistando pessoas sobre o nazismo, campos de concentração, violência, racismo etc. No seu artigo procura entender como pessoas normais, *good people*, conviveram com as atrocidades perpetradas durante cerca de doze anos. Em resumo, o autor mostra que existia uma cumplicidade entre essas "boas pessoas" e aquelas que faziam o "trabalho sujo" de prender, torturar e matar judeus, comunistas, ciganos, inimigos políticos do regime em geral, homossexuais e qualquer tipo de pessoa que pudesse ser considerada perigosa ou inadequada. Os SS eram basicamente o corpo de especialistas do regime encarregados de "despoluir" a sociedade. Eram, muitas vezes, desequilibrados e sádicos. Personalidades violentas, lindeiras da anormalidade ou mesmo patológicas compunham a maior parte do quadro da SS, segundo diferentes intérpretes e analistas. Assim, as "boas pessoas" não precisavam sujar suas mãos com o sangue das vítimas pois existia esse corpo de devotados especialistas pronto e disposto a qualquer coisa. Hughes não diz que as "*good people*" desejassem o extermínio dos judeus ou de qualquer outro grupo. Sabiam algo sobre os campos de concentração, mas de forma fragmentada e incompleta. Os que sabiam mais, geralmente procuravam saber, e esta atitude já estava associada a uma postura de crítica e oposição ao regime. Em geral judeus, ciganos, comunistas etc. eram encarados como estranhos, distantes e eventualmente perigosos. Como diz um dos entrevistados de Hughes, "algo precisava ser feito". Entre o "algo" e o extermínio em massa estava um terreno nebuloso, vago e indefinido que as "boas pessoas" faziam questão de desconhecer.

Hughes examina a Alemanha nazista como um *caso limite*. Em toda sociedade de certa complexidade existe um "*dirty work*" a ser feito. Para isso existem especialistas que se encarregam da tarefa. Quanto ao objeto — vítimas — desse trabalho, variando de sociedade para sociedade, sempre corresponde a algum tipo de *out-group*. Como diz Hughes:

> Toda sociedade de um certo tamanho tem *in-groups* e *out-groups*. Só existe um *in-group* porque existem *out-groups* ... cada um de nós é o centro de uma rede de *in* e *out-groups* ... A distinção entre *in* e *out* pode ser traçada de várias maneiras e nada é mais importante, tanto para

o estudioso da sociedade como para o educador, do que descobrir como essas fronteiras são estabelecidas e como podem ser alteradas de modo mais justo e correto".[5]

*

Voltamos aos assassinatos no Rio de Janeiro de 1963 e 1990. Os chamados "crimes comuns" não são fenômenos isolados. No Brasil, nos últimos cinqüenta anos, tanto no Estado Novo como no Regime Militar que se instalou em 1964, tivemos períodos de implacável perseguição política com prisões arbitrárias, seqüestros, torturas e assassinatos. Esses "crimes políticos" foram basicamente cometidos por órgãos de segurança que eram a nossa versão tropical dos SS nazistas. Aqui como lá as "boas pessoas" resistiam a admitir a existência de tais truculências. A partir de 1964, durante uns vinte anos, a sociedade brasileira viveu sob um regime em que esses episódios aconteciam em escala assustadora embora diferente da Alemanha nazista. Os vizinhos Argentina, Uruguai, Paraguai e Chile passaram, como sabemos, por situação semelhante. O complexo processo de abertura no Brasil, com as sístoles e diástoles do general Golbery, fez com que fosse considerado sábio e prudente não apurar os crimes e atrocidades. A descoberta de cemitérios clandestinos reaviva a memória e impede o esquecimento. De qualquer forma, com a eleição de Tancredo Neves, com Sarney, a "Nova República" e com as eleições diretas para presidente da República procurou-se marcar um distanciamento em relação ao finado Regime Militar. Supõe-se que haja liberdade política e que agora estejam distantes os dias do DOI-CODI e dos nossos SS. Mas e os "crimes comuns"? O próprio termo "comum" já mereceria análise adequada.

É difícil em uma época de relativa liberdade de imprensa e com uma crise social aguda não perceber a gravidade dos problemas da grande maioria da população brasileira. A violência dos assassinatos é uma dimensão desse quadro geral de deterioração

5. Hughes. op. cit., p. 94-5.

acelerada. Quem é assassinado e qual o significado desses crimes? As vítimas aqui citadas, de 1963 e 1990, eram em geral, como já foi dito, filhos de famílias com prestígio, educação e recursos básicos. A partir de suas mortes e sacrifício, o clamor e os protestos foram importantes e meritórios com sua vigorosa denúncia da impunidade, da violência gratuita e da injustiça em geral. Mas talvez o mais importante em termos sociológicos e éticos seja a revisão, nos termos de Hughes, de nossa visão de *in* e *out-groups*. As mortes de jovens de camadas médias e suas circunstâncias são a ponta do *iceberg* da violência onipresente no cotidiano da grande maioria da população brasileira. As camadas pobres, os moradores de favelas, da periferia e dos subúrbios das cidades brasileiras estão sujeitos permanentemente a todos os tipos de arbitrariedade. Os assaltos, as batidas policiais, a ação dos "esquadrões da morte" somam-se às dificuldades de trabalho, moradia, transporte, saúde etc. que constituem as condições de existência dessa população. As nossas "boas pessoas", de um modo geral, só são sacudidas quando ocorre uma tragédia dentro de seu limitado *in-group*. É fascinante em termos sociológicos e chocante em termos éticos ver pessoas se deslocando dentro de uma sociedade injusta e violenta, anestesiadas diante da miséria, sofrimento e violência que afligem permanentemente os *out-groups*, no caso, a maioria esmagadora da população. No Brasil, no Rio de Janeiro particularmente, com exceção de algumas poucas áreas como certos condomínios fechados, não parece viável a metafórica redoma de vidro que faz com que em sociedades mais guetificadas as elites possam viver boa parte do seu tempo ignorando as mazelas do povo. No entanto os mecanismos socioculturais de distanciamento e hierarquização possibilitam a existência e manutenção de sutilíssimos mapas de navegação social que permitem, se não uma redoma, talvez uma espécie de capa ou invólucro protetor de insensibilização. Assim, nos aproximamos da Alemanha nazista com seus *good people* e *dirty work*, analisados por Hughes. As ações dos SS, do DOI-CODI, dos "esquadrões da morte", dos corpos de segurança privados desempenham essa função de "sanear" a sociedade dos excessos dos subversivos, das minorias e dos pobres. A consciência das "boas pessoas" fica protegida porque não se envolvem diretamente com a poluição social. A maioria só se abala quando um parente ou uma pessoa muito próxima vai para o campo de concentração ou é seqüestrada, presa, torturada e/ou assassinada. Os exemplos internacionais ou brasileiros são numerosos e gritantes.

Os episódios de 1963 e 1990 no Rio de Janeiro ilustram dramaticamente essa reflexão. O universo das camadas médias superiores e das elites vem ali experimentando uma crescente insegurança. Furtos, roubos e assaltos já fazem parte do dia-a-dia. Isso tem levado a uma reavaliação de estilo de vida com novas estratégias e mudança de hábitos.[6] No terreno das atitudes e representações são poucos aqueles que efetuam uma crítica das condições gerais de existência da sociedade. As famílias das vítimas de 1963 e 1990 realizaram esse movimento e esforço de denúncia. No entanto, na grande maioria dos depoimentos que tenho colhido na minha pesquisa nos últimos dois anos, ao focalizarem a violência na cidade as pessoas desses estratos superiores tendem a reforçar uma política repressiva. Acreditam que os órgãos de segurança não são eficientes e que o efetivo policial deve ser aumentado. Vários falam nos assaltantes e criminosos como inimigos que devem ser eliminados, custe o que custar. A maioria é favorável à pena de morte e regimes mais rigorosos no sistema penitenciário. Uma minoria estabelece relação entre a violência e os problemas de pobreza e distribuição de renda. Diversos dão explicações de natureza étnico-racial, proferindo julgamentos sobre a inferioridade de negros, mulatos, nordestinos ou brasileiros em geral. Basicamente estabelecem uma relação de exclusão no tocante ao povo como um todo. Não elaboram nenhuma identificação com as vítimas da violência a não ser aquelas de seu círculo imediato, estabelecendo limites rígidos entre o seu grupo e o mundo de fora, como:

> *Essa gente vive se matando nas favelas. Agora estão vindo para cima de nós. O Governo e a Polícia não estão controlando a cidade. É uma vergonha, não dá mais para sair de casa. Por isso sou a favor da pena de morte. É o único jeito de acabar com isso* (engenheiro, 42 anos, morador do Leblon, RJ).

6. Ver Capítulo XI deste livro.

Neste depoimento e em outros há uma queixa de que o *dirty work* não está sendo feito a contento. Alguns chegam a falar em se armar para fazer justiça. Mas principalmente tendem a insistir na necessidade de tornar o aparelho repressivo mais eficiente e na necessidade de confinar as populações de baixa renda.

> *Tem que remover as favelas. O Lacerda tinha toda razão. Não dá para conviver com essa gente. As ruas estão cheias de mendigos e de pivetes. Tem que acabar com isso. A cidade tem que ser melhor organizada. O que estraga o Rio é essa mistura* (advogado, 54 anos, morador de Copacabana).

Assim, aqui temos um discurso e uma atitude que servem de sustentação para medidas repressivas contra a população de baixa renda, o grande *out-group*. Diferentemente, os familiares e amigos de Odilo, em 1963, e o movimento de 1990 procuraram esboçar uma crítica geral da sociedade para explicar os crimes, ampliando assim o campo de identificação e de alianças. Tentaram estabelecer pontes entre os diferentes tipos de vítima, independentemente do seu grupo social de origem, como:

> *Perdemos um parente, uma pessoa querida. Sabemos que isso tem acontecido com muita gente. Principalmente com o povo mais pobre. É hora de tentar mudar isso, acabar com a impunidade. É uma sociedade injusta e cruel* (jornalista, 35 anos, morador de Copacabana).

Essas idéias representam uma vertente do universo das camadas médias com uma postura mais reformista. O sucesso de suas iniciativas é discutível e problemático mas expressa uma visão diferente do rígido mapa social dos depoimentos anteriormente citados. Sugiro que estamos lidando com um discurso e visão de mundo complexos, não-homogêneos. Nos depoimentos constantemente há matizes e meio-tons. Assim, em 1990, aparece com vigor em vários momentos a preocupação de castigar e punir os assassinos nem sempre associada à idéia de reforma e justiça social. São, essencialmente, dois modos de definir e lidar com o "outro". Enquanto em um caso o *in-group* é marcadamente restrito e fechado, no segundo há uma inclusão de um segmento maior da sociedade e/ou humanidade. Este está associado a um projeto de mudança e reforma enquanto o primeiro vincula-se à manutenção das fronteiras sociais e de um modelo em que o *in-group* está permanentemente ameaçado pelo *stranger* e pelo *outsider*.[7] São distintas possibilidades de *construção social da realidade* com repercussões em todas as esferas e domínios. Em termos estritamente políticos creio que ainda se pode falar, apesar de protestos, em "esquerda" e "direita" como referências de orientação básicas. Na prática os depoimentos oscilam entre os dois pólos da reforma social e da repressão. O discurso da reforma pode estar combinado com a defesa de medidas coercitivas de natureza policial, como:

> *Sem melhor distribuição de renda não há saída. Com esse desemprego e com esse salário mínimo é até surpreendente que não haja maior violência. Agora é claro que não pode dar moleza para os bandidos que estão por aí, ligados aos bicheiros e traficantes. A polícia tem que ser reformada e reaparelhada para poder atuar. Essa corrupção generalizada contamina tudo* (Economista, 46 anos, morador do Jardim Botânico).

Como vimos os tipos "puros" de "reformista" e "repressivo" podem até ser encontrados em certos contextos e momentos. Indivíduos específicos desempenham esses papéis com toda a plenitude. Creio que pode ser útil pensar em termos de um repertório cultural e ideológico que é acionado por este universo de modo diferenciado. Retornando mais uma vez a Hughes, a possibilidade de repensar e redesenhar os limites entre o *in* e os *out-groups* é uma questão sociologicamente fascinante e crucial em termos políticos e éticos. Quanto maior a ampliação dessas fronteiras e mais abrangente a percepção do universo de referência, melhores serão as possibilidades de um projeto social efetivamente democrático. As fronteiras sociológicas não são definitivas e nem devem ser congeladas, seja pelo pesquisador seja pela ação política. Ao se entender a sociedade como um complexo processo de interação e *negociação da realidade*, abre-se a possibilidade de compreender e estimular mudanças política e eticamente desejáveis.

7. Schutz, Alfred. *Collected Papers*. The Hague, Martius Nijhoff, vol. 2, 1970-1971; e Becker, Howard S. *Outsiders: studies in the sociology of deviance*. Nova York, The Free Press, 1963.

XI

DESTINO E VIOLÊNCIA[1]

Parto de uma perspectiva que vê a sociedade como descontínua e heterogênea, manifestando-se em múltiplos níveis de realidade e sistemas cognitivos particulares. A relação entre esses níveis e sistemas é sempre problemática e este reconhecimento implica uma rejeição de percepções e usos excessivamente generalizantes e homogeneizantes da noção de cultura. Sendo esta um instrumento chave no desenvolvimento da teoria antropológica cabe enfatizar que a utilizo dentro da tradição que sublinha a idéia de *rede de significados*.[2] No entanto, esse conjunto é percebido como problemático, instável e precário. A relação entre subáreas, *províncias de significado* nos termos de Schutz, não se dá em um processo linear mecânico e, muito menos automático.[3] A noção de *múltiplos níveis de realidade* registra não só a especificidade de formas de interação social como variadas ordens de representações associadas a tipos diferenciados de *attention à la vie*, seguindo Bergson, retomado por Schutz.[4] Insisto que não se trata, portanto, de apenas registrar domínios específicos da estrutura e organização social

1. Publicado originalmente sob o título "Destino, campo de possibilidade e províncias de significado: notas sobre a violência", in *Comunicação*, n. 16, PPGAS/Museu Nacional/UFRJ, Rio de Janeiro, 1989.
2. Geertz, Clifford. *The Interpretation of Cultures*. Nova York, Basic Books, 1973. Tradução brasileira: *A interpretação das culturas*. Rio de Janeiro, Zahar, 1978.
3. Schutz, Alfred. *Collected Papers*. The Hague, Martius Nijhoff, 3 v., 1970-1971.
4. Schutz. op. cit. e *Fenomenologia e relações sociais*. Rio de Janeiro, Zahar, 1979.

como trabalho, política, família etc. mas de valorizar os diferentes modos mentais-culturais de construir e interpretar instâncias diferenciadas do mundo social e da existência em geral. A questão do sujeito, de sua consciência e das diferentes formas e estilos de conhecer o mundo e o outro são preocupações que também extraio, em boa parte, dos trabalhos de Schutz. Obviamente a sua obra está dentro de um campo intelectual em que despontam como referências, entre outros autores, Husserl, Bergson, Weber, Simmel, Sartre, Scheler. Fica evidente, por esta simples enumeração, que estou falando de um campo complexo onde as barreiras disciplinares são relativizadas e as fronteiras frágeis e flutuantes.

É a partir dessas colocações iniciais que pretendo retomar, ainda modestamente, alguns problemas que comecei a examinar em trabalho anterior.[5] Dizia eu então:

> De uma maneira esquemática e generalizante a moderna antropologia social tem identificado dois modelos básicos de sociedade — a holista, tradicional, onde a hierarquia é o princípio estruturante e dominante, e a individualista moderna, onde o indivíduo é o valor básico, unidade mínima significativa. No primeiro caso, o indivíduo-biológico é englobado, "encompassado" por categorias sociais mais abrangentes. O exemplo clássico é a sociedade de castas hindu, estudada por Louis Dumont e origem de suas importantes teorias sobre hierarquia e individualismo.[6] O individualismo, objeto de reflexão de vários autores, entre os quais G. Simmel e Max Weber, apresenta várias qualificações, embora tenda a aparecer como fenômeno não exclusivo, pelo menos mais característico da modernidade.

E ainda:

> Da mesma maneira, há que estar atento aos processos de *individuação* de caráter mais abrangente e universal, não necessariamente associa-

5. Velho, Gilberto. "Destino e projeto: uma visão antropológica", in Eduardo Prado (org.), *Destino*. Terceira Margem, 1988.
6. Dumont, Louis. *Homo hierarchicus: essai sur le système des castes*. Paris, Gallimard, 1966; id. *Homo aequalis: genèse et épanouissement de l'idéologie économique*. Paris, Gallimard, 1977.

dos a ideologias individualistas. Insisto, no entanto, que nem sempre é clara e linear a fronteira entre individuação e individualização. As ideologias aparecem sob formas múltiplas e, muitas vezes, se infiltram em sistemas aparentemente coesos e fechados, com linguagem e símbolos os mais diversos, não sendo fácil ou elementar reconstituir sua gênese em termos históricos para culturas diferentes.

Em relação à sociedade moderno-contemporânea a complexidade social e a heterogeneidade cultural aparecem de modo intenso e explicitado sem que com isso esteja-se admitindo, inversamente, a simplicidade e a homogeneidade de sociedades tribais, tradicionais etc. Pelo contrário até, pois nessa linha de argumentação a divisão social de trabalho, o desenvolvimento tecnológico, são algumas das variáveis para a constituição de processos de significados mas estão longe de esgotá-las. A cosmologia, a religião, a organização social e parentesco entre outras são decisivas nesse processo de *construção social da realidade* em múltiplos planos com significados diferenciados.

*

Passo a considerar a noção de *destino*, procurando indagar os seus possíveis significados na sociedade moderno-contemporânea, particularmente no que se relaciona com a problemática de indivíduo e sujeito. A hipótese inicial é que se trata de idéia complexa, constituinte da noção de indivíduo em geral, marcando descontinuidades em função das diferenças de seus significados em variados domínios, contextos e planos.

A complexidade advém de várias razões. A heterogeneidade que marca a sociedade moderna, especificamente a brasileira, é variável básica para a configuração deste quadro. A coexistência de diversas *tradições*, ligadas à concepção cristã com suas divisões — catolicismo, protestantismo, ortodoxa, com particularidades de igrejas, correntes, seitas, a concepção espírita kardecista, as diferentes crenças ligadas à presença africana — candomblé, umbanda etc., o agnosticismo, o materialismo etc., evidencia este quadro de diferenciação e fragmentação no universo de representações e valores. As diferenças não residem apenas nos conteúdos mas, mais importante nesta discussão, na própria demarcação e elaboração de *planos da realidade* e *províncias de significado*. Assim, por exemplo, a crença no feitiço estabelece todo um sistema não só de relações sociais propriamente ditas mas, de elos entre, por exemplo, os mundos da família, do trabalho e do sobrenatural.[7] É nesse sentido que se pode falar em processos de construção social de realidade que, forçosamente, partem de um repertório limitado mas altamente manipulável em diferentes circunstâncias por atores específicos. É aí que, mais uma vez, chega-se à idéia de *negociação da realidade*. Para que isso seja possível temos que lidar com alguma noção de intersubjetividade. Esta em Schutz refere-se, basicamente em termos cognitivos, ao que é comum a vários indivíduos que, no cotidiano, na vida diária tomam a existência dos outros como pressuposta, ao menos na interação mais rotineira. Raciocina-se e age-se partindo da idéia de que os outros indivíduos são pessoas como ele(s), com consciência, vontade, interesses, deveres, emoções etc. É essa soma, conjunto de experiências no decorrer de uma trajetória individual, que confirma e solidifica a idéia de que, em princípio, os indivíduos são capazes de *compreender* uns aos outros, apesar das diferenças e eventuais conflitos. É esta a base de todos os processos de definição de situação e *negociação da realidade*, dos mais elementares aos mais complexos.[8] Por outro lado, é uma maneira efetiva de compreender a própria vida social a partir das diferenças. Ou seja, estas constituem o próprio processo social, gerando as interações sociais em múltiplos planos. É claro que em uma sociedade em que o indivíduo é a unidade mínima significativa, a partir de uma ideologia individualista, esse processo se passa de modo díspar do que naquelas em que não só os indivíduos estão subordinados, englobados, pelo todo como podem ter valores diferenciados em função de sua posição na hierarquia social. Portanto, o reconhecimento entre os indivíduos não se dá, como sabemos, a partir de uma relação propriamente igualitária em qualquer cultura ou sociedade. Simmel, já citado, examinando a sociedade ocidental,

7. Ver Maggie, Yvonne. *Medo do feitiço: relações entre magia e poder no Brasil*. Rio de Janeiro, Arquivo Nacional, 1993.
8. Ver Schutz, 1971 e 1979. op. cit.

distinguiu o individualismo da igualdade, segundo ele, característico do século XVIII, de individualismo qualitativo, da singularidade, próprio do século XIX.[9] A ênfase na igualdade ou na diferença varia em função de contexto, momento histórico e da própria situação. O ponto de partida para uma *negociação da realidade* não passa necessariamente pela crença na igualdade e pode ter como pressuposto, em muitas, talvez na maioria das sociedades, a *desigualdade* em função do caráter hierárquico de sua natureza.[10] A *compreensão* de que fala Schutz, que tornaria possível tanto a *negociação* como a interação social, deve ser percebida dentro de quadros sócio-históricos específicos, para evitar generalizações de caráter universalista que escamoteiem as diferenças culturais. Não creio que a idéia de *compreensão* perca, necessariamente, sua eficácia se nos prevenirmos em relação aos riscos do modelo universalista. Isso porque a *compreensão* é um fenômeno *sociológico* e *cultural*, além de ser um instrumento de trabalho para o pesquisador. A possibilidade de *compreender*, como já foi dito, vincula-se a um conjunto de experiências que é, em grande parte, pelo menos, de natureza sociocultural.

Os antropólogos estão permanentemente lidando com regras, normas e padrões que definem a particularidade de cada sociedade e cultura mas que, por sua própria existência, atendem a necessidades de toda e qualquer vida social, propriamente dita.

Sem dúvida, em Schutz há uma dimensão psicossocial de tendência universalizante. Não a vejo como contraditória com as preocupações básicas de contextualizar, relativizar dentro da ótica da antropologia social. Coloca-se, de qualquer maneira, a possibilidade de não se efetivar uma *negociação da realidade* a não ser que esta seja entendida em um sentido muito amplo. Indivíduos de culturas ou mesmo meios sociais cujas existências se baseiem em premissas conflitantes podem não chegar a uma definição de

9. Simmel, Georg. *On Individuality and Social Forms*. Donald Levine (org.), Chicago, University of Chicago Press, 1971.
10. Lembro que a desigualdade, dentro do modelo hierárquico, não significa necessariamente exploração e dominação mas, sobretudo, uma relação de complementariedade.

realidade que permita minimamente sua coexistência, convívio e interação.[11]

Sem dúvida *compreensão* e *experiência* também associam-se a *interesses*, embora não de modo linear. Há uma relação óbvia desde que os interesses estão colados a experiências e trajetórias específicas de indivíduos e grupos. Os mecanismos de *compreensão*, em princípio, implicam a possibilidade de perceber e dimensionar os interesses alheios, *do outro*, sem a qual torna-se impossível caminhar no processo de negociação. Os *choques culturais*, as *discrepâncias de status, situações anômicas* a nível coletivo e individual, confirmam que a *negociação da realidade* é um processo complexo, difícil, freqüentemente chegando a conflitos e impasses não só entre grupos e indivíduos mas também a processos em nível interno individual. Nesse caso a participação em múltiplos domínios, o desempenho de papéis diferenciados, experiências contraditórias podem levar a situações críticas na elaboração e manutenção de identidade. Trata-se de um caso de "faca de dois gumes". Se, por um lado, a heterogeneidade, a diferenciação e a diversidade podem estimular o indivíduo e sua *cultura subjetiva* nos termos de Simmel, por outro lado, dependendo da intensidade relativa, situação e contexto podem ameaçar a base da própria individualidade.[12]

A questão do *destino* e suas representações aparece assim como um eixo privilegiado para a discussão das relações entre *indivíduo* e *sociedade*.

A ênfase no indivíduo enquanto ser moral, responsável, tem, na sociedade ocidental, um marco fundamental com o cristianismo. Obviamente, há raízes e antecedentes conhecidos na Antigüidade que possibilitaram o desenvolvimento das crenças e valores cristãos. O helenismo, as influências recíprocas entre a cul-

11. A diferença de códigos dentro de uma mesma sociedade, sem dúvida, é fenômeno recorrente e pode provocar significativas descontinuidades no processo de comunicação social. Ver, por exemplo, Bernstein, Basil. "Theoretical studies towards a sociology of language", in *Class, Codes and Control*. Londres, Routledge & Kegan Paul, v. 1, 1971.
12. Simmel. op. cit.

tura greco-romana, o judaísmo, o zoroastrismo e diversas outras tradições que no Império Romano encontraram situação e terreno favoráveis para a formulação de novas combinações estão na base da constituição do cristianismo.

O tema do indivíduo e das ideologias individualistas tem sido tratado de diversas maneiras e sob diferentes enfoques. Dentro dos propósitos deste trabalho quero chamar a atenção para o fato de que na história da sociedade ocidental há uma oscilação quanto ao valor indivíduo. Registram-se idas e vindas durante a formação da sociedade moderna. Medievalistas identificam ciclos, mais ou menos solidários a fenômenos políticos e econômicos, através dos quais pode-se acompanhar um movimento quase que pendular.[13] Na Europa Ocidental, em torno do séc. XII, já são detectados fortes indícios de valores e movimentos que poderíamos classificar como *individualistas*. A ênfase em trajetórias particulares na singularidade, na criação individual, reações contra um modelo holista dominante, são alguns desses indícios.[14] Como já foi ressaltado, desde, pelo menos, Burckhardt, o Renascimento tem como uma de suas características fundamentais um *ethos* cada vez mais marcado pelo indivíduo enquanto valor, seja na arte, na política ou em outros domínios.[15] Dante, na *Divina comédia*, escrevendo na passagem dos séc. XIII e XIV, registra como uma de suas preocupações fundamentais a questão de responsabilidade moral do indivíduo. Toda a viagem pelo Limbo, Inferno, Purgatório e Paraíso expressa rigorosamente, com suas fantásticas imagens e diálogos, a tensão dessa passagem para um individualismo mais responsável que combina os valores da igualdade e da singularidade, antecipando debates que se tornarão cada vez

13. Duby, Georges. *Le Chevalier, la femme et le prêtre*. Paris, Hachette, 1981; id., *Idade Média, idade dos homens: do amor e outros ensaios*. São Paulo, Companhia das Letras, 1989.
14. Le Goff, Jacques. *Os intelectuais na Idade Média*. Lisboa, Editorial Estudios Cor, 1973; e Hauser, Arnold. *Social History of Art*. Nova York, Vintage Books, 4 v., 1957.
15. Burckhardt, Jacob. *La Cultura de Renascimento en Italia*. Buenos Aires, Losada, 1942, especialmente Capítulo 2.

mais explícitos e intensos até o séc. XIX.[16] Não se trata de um sistema linear e uniforme. A rica combinação produzida a partir de uma leitura da Antigüidade clássica greco-romana com o cristianismo, por sua vez repleto de tensões e contradições, constitui um dos aspectos mais instigantes da notável obra. É impossível deixar de retornar a comentários tecidos em trabalho anteriormente já citado:

> Assim, é importante ser capaz de reconhecer, por exemplo, na Antigüidade clássica, indícios de indivíduos-sujeitos com *projetos*. Antes, marcando o poder das determinações externas, mencionei a tragédia com Édipo. Agora convém relembrar a Odisséia com Ulisses, que já foi apontado por diversos autores como o primeiro herói "moderno". É importante lembrar a anterioridade cronológica das epopéias homéricas em relação ao apogeu do teatro trágico na Grécia. Ulisses tem *projetos*, na minha leitura, enfrenta e negocia com deuses, seres fantásticos, sereias, feiticeiras, procurando manter uma "conduta organizada para atingir finalidades específicas". Fica só, perde seus companheiros da expedição a Tróia, tem "crises de identidade", mas prossegue e chega a Ítaca. É interessante ressaltar que tanto na Ilíada como na Odisséia, Ulisses é caracterizado como astuto. Esta astúcia é que lhe dá a capacidade de resolver problemas e fazer planos como o do Cavalo de Tróia. É claro que esta é uma leitura. Pode-se também, sob outro ângulo, fazer a leitura de que Ulisses não voltou a Ítaca, pelos seus próprios meios, mas porque estava "destinado" a morrer pelas mãos de Telêmaco. Mas o ponto é que as duas leituras são possíveis. Creio que, pelo menos, pode-se admitir uma ambigüidade ou tensão na Odisséia entre a determinação das forças externas, deuses e/ou o *destino* preestabelecido e a capacidade e vontade de um indivíduo excepcional que luta por seus *projetos*. É preciso lembrar que tanto na Odisséia como na Ilíada os homens são tanto, até certo ponto, usados pelos deuses do Olimpo, como, também, desafiam e enfrentam, às vezes com sucesso, a ira ou a vontade deles. Sem dúvida, na maioria dos casos, isto é obtido através de aliança ou de proteção de outros deuses. A noção de *destino* não está colada à vontade dos Deuses enquanto indivíduos. É uma força diferente, em certos períodos representada, que atua paralelamente e mesmo, em certas situações, independente e acima dos deuses. É preciso frisar que, como já foi dito por

16. As referências à *Divina comédia* de Dante Alighieri são feitas a partir da edição publicada pela Itatiaia, 1984, com tradução e introdução de Cristiano Martins.

vários intérpretes, as divindades em Homero, são indivíduos que amam, desejam e também enfatizo aqui, fazem *projetos*. De certa maneira, uma leitura possível das epopéias homéricas é vê-las como conflito e negociação de *projetos* envolvendo homens e deuses.[17]

Ou seja, a tensão individualismo-holismo pode ser detectada desde as mais remotas origens da sociedade ocidental. Como coloca com precisão Eli Diniz:

> A despeito das diferenças entre os vários autores, alguns aspectos são comuns ao gênero trágico. Entre estes, destacam-se certamente as noções de *moira* (destino) e *anánké* (necessidade), que desempenham um papel central na trama trágica. Se o *destino* aparece como imutável, representando, em última instância, os desígnios dos deuses, por outro lado, o herói trágico não é apenas vítima de forças externas, que o impelem inexoravelmente numa dada direção. Ao contrário, é um ato de vontade, que o faz transgredir normas e desafiar interdições. Ao incorrer numa falta grave (*harmatia*), perdendo o senso da medida (*métron*), desperta a ira dos deuses e desencadeia a punição inscrita numa ordem que o transcende. É a justiça que se exerce através da Moira. Desta forma, o trágico resulta da transgressão da ordem, que, conduzindo à catástrofe, a partir de então inevitável, gera as condições para o retorno à plenitude com o restabelecimento da harmonia e, portanto, da ordem.

E ainda:

> Assim, ao conferir legitimidade ao ato de insurgir-se contra a opressão, a tragédia grega consagra o papel e o espaço da liberdade individual em contraposição ao conformismo que deriva da obediência cega à lei.[18]

Logo, tanto nas epopéias homéricas, como nas tragédias gregas do séc. V a.C., a questão do *destino* aparece como foco privilegiado para a elaboração da problemática da ação e significado do indivíduo. Ora, de Homero, passando por Ésquilo, Sófocles e Eurípi-

17. Velho, Gilberto. "Destino e projeto: uma visão antropológica", in Eduardo Prado (org.), *Destino*. Terceira Margem, 1988. As referências a Homero são feitas a partir das edições da *Odisséia*. São Paulo, Melhoramentos, 1961; e *Ilíada*. São Paulo, Melhoramentos, 1962. Ambas traduzidas por Carlos Alberto Nunes.
18. Diniz, Eli. "Destino: variações em torno de um mesmo tema", in Eduardo Prado (org.), *Destino*. Terceira Margem, 1988, p. 50-4.

des chegamos a Dante, percorrendo aproximadamente dois mil anos. Não é trivial e cabe registrar a particularidade de intenção de uma leitura que está voltada para captar sinais e indícios da problemática que privilegia. Em Dante a questão da *alma* e de sua relação com o corpo é das mais complexas, ao ponto-limite dos viajantes — Dante e Virgílio — encontrarem almas no Inferno sendo castigadas, cujos corpos ainda estão vivos na superfície, movidos por forças demoníacas.[19] Se há um espaço para a escolha, a decisão, baseadas em uma ética cristã, existe por outro lado a antecipação do que já está determinado.[20] Assim Dante é advertido sobre diversos fatos que irão ocorrer, inevitavelmente, no futuro.[21] Até que ponto se trata de recurso literário, ou até onde corresponde a uma crença em uma determinação de forças externas, não é questão simples.[22] De qualquer forma é evidente, pelo menos, uma forte ambigüidade quanto ao livre-arbítrio e à determinação de uma vontade divina que pode se confundir com a idéia de *destino*. A *moira* grega, a *fortuna*, a *vontade de Deus*, às vezes distinguidas, outras combinadas e indistinguíveis constituem um pólo em relação ao outro onde a escolha, a opção, a vontade, o *projeto*, enfim, expressam a crença e a ênfase no indivíduo-sujeito. Trata-se, portanto, de sublinhar a existência dessa tensão como constituinte não só no passado mas no próprio presente do complexo universo de representações da sociedade conhecida como ocidental, que obviamente sofreu fortíssima influência de culturas orientais e outras como as africanas dos seus primórdios até os dias atuais.

*

Com essas reflexões encaminhadas chego à sociedade brasileira contemporânea, com suas particularidades de todas as ordens, mas que está fortemente vinculada à tradição até agora examinada.

19. Dante. op. cit., Inferno, Canto XXXIII.
20. É importante lembrar a relevância de Aristóteles para a ética cristã como um todo e particularmente para Dante.
21. Dante. op. cit. Ver, por exemplo, Inferno, Canto XXVIII.
22. Lembrar que Dante, ao escrever, fala de um passado que ele já viveu, embora na narrativa apareça como futuro à viagem que empreende.

No projeto *Estudo comparativo de estilos de vida metropolitanos*[23] por mim coordenado, um dos temas explorados tem sido o da violência que aparece, recorrentemente, associado a uma crise cuja extensão e âmbito podem variar no discurso do universo investigado. A crise é brasileira e, constantemente, mundial. A pesquisa está sendo realizada, basicamente, na área do Grande Rio e os aspectos locais — cariocas e fluminenses — são sublinhados com grande intensidade. A definição de crise, as formas de vivenciá-la, estratégias de adaptação e sobrevivência etc. apresentam algumas flutuações em função de *n* variáveis socioculturais — origem, meio, trajetória, contexto etc.[24] Não pretendo aqui esgotar ou resolver o problema de conceituação de violência.

Sabemos que a violência tem vários tipos de manifestação desde o tráfego, passando por furtos, assaltos, roubos, espancamentos, vandalismo, chegando até os crimes de morte, assassinato, linchamentos. Brigas de rua, de bar, repressão às greves, agressões de todos os tipos — a crianças, mulheres, pessoas idosas, doentes — são também enumeradas como expressões de violência na sociedade. Há uma avaliação de uma deterioração das *condições* e da *qualidade* de vida, com o agravamento das tensões sociais. A miséria, a pobreza, a má distribuição de renda, a taxa de iniqüidade social, configuram um quadro propício à violência. Por exemplo:

> *Já não dá para sair de casa. Temos medo da rua e ficar em casa também é perigoso porque você é assaltado de qualquer maneira. Costumava ir ao Municipal com um grupo de amigos. Ópera; concertos, principalmente temporada de ópera. Há uns dois anos um amigo foi assaltado. Estava com a mulher. Tentou reagir e levou três tiros. Deixou viúva e três filhos. O mais velho tinha quinze e a mais nova tinha oito. Ele tinha estacionado o carro perto do Municipal. Nos despedimos na escadaria e ele foi assassinado a uns cinqüenta metros da porta do teatro. É claro que vários amigos e conhecidos já tinham sido assaltados. Um menino de doze anos foi surrado por pivetes,*

23. Financiado pela Finep (Financiadora de Estudos e Projetos), Fundação Ford e CNPq (Conselho Nacional de Desenvolvimento Científico e Tecnológico).
24. Velho, Gilberto. "*Cotidiano e crise*". *Folha de São Paulo*, 4 de fevereiro, 1989.

perto de casa, na Tijuca. Mas a morte de Fernando[25] *foi terrível. Era boa pessoa, sensível, educado. Reagiu porque ficou preocupado com a mulher. Não sei se reagiria também. Não sei o que faria. Agora vamos e voltamos ao Municipal em grupo. Marcamos encontro na casa de um e saímos em dois ou três carros e sempre dois de nós, pelo menos, saímos armados. Eu tinha um revólver. Outros compraram. Uma das mulheres anda com uma Beretta. Parece uma expedição de guerra. Para assistir ópera no Municipal ou ir a um concerto na Cecília Meirelles. É claro que sabemos todos da miséria, da pobreza. O Rio está sujo, abandonado, decadente, cheio de mendigos. Ninguém respeita ninguém. É uma selva com feras soltas. Será que não matavam o Fernando se ele não tivesse reagido? Conheci um sujeito que não reagiu, entregou tudo que tinha — dinheiro, anel, cheques, documentos. No final lhe deram um tiro na testa. Morreu na hora. Você nunca sabe o que pode acontecer. Eu não tenho como fazer reforma social e redistribuição de renda. De qualquer forma existem esses animais, essas feras que matam por prazer, sadismo. Enquanto o país não mudar, temos mesmo que andar armados e preparados para matar, para defender a nossa vida, das mulheres, dos filhos, dos amigos. E contar com a sorte. Foi com o Fernando. Poderia ter sido com qualquer um de nós. Foi uma fatalidade. Mas não dá para se descuidar. Você tem que ajudar a sorte. Sei que andar armado não resolve os problemas. Posso morrer do mesmo jeito. Mas prefiro ter a sensação de que tenho chance de reagir. Não acho que você tem a hora de morrer já marcada. É uma espécie de jogo de azar. Questão de probabilidade. Só que está aumentando muito o número de vítimas. Não sei se dá para falar em sorte e azar. Até certo ponto a gente sabe que há coisas inevitáveis. Mas até onde? E o que a gente pode fazer? Mudanças sociais e políticas nesse país talvez nunca aconteçam. Talvez o país continue piorando. Eu, às vezes, acho que estou vivendo um filme de ficção científica, de terror. Tipo tudo pode acontecer. Adoro música. Ao vivo. Não vou me privar disso. Dependendo da ópera talvez até valha a pena o risco de morrer... (Riso) Madame Butterfly, Rigoletto* (44 anos, engenheiro, casado, dois filhos, morador da Tijuca).

Creio que este trecho de depoimento revela algumas questões que interessam particularmente à reflexão aqui desenvolvida. De um lado, existe uma percepção de fatores e forças externos atuando sobre a vida dos indivíduos, com ameaças, impondo limites, criando dificuldades. Há uma expressão de impotência para resolver as grandes questões nacionais que afetam o seu cotidiano.

25. Os nomes citados nos depoimentos são fictícios.

Por outro lado, há a deliberação de armar uma estratégia, literalmente de sobrevivência, através da qual o indivíduo, de alguma forma, atua como sujeito. Existe um inconformismo com a situação, gerando um movimento de afirmação com a procura de providências para garantir não só mais a sobrevivência no sentido estrito, mas a possibilidade de exercer um estilo de vida. No caso, a ida à ópera passa a resumir todo um esforço de garantir um *projeto* individual.

A violência, e o risco de vida também são vistos sob o ângulo da *fatalidade* como aparece na narrativa do assassinato de Fernando. *Sorte* e *azar* são categorias acionadas mas que aparecem quase sempre acompanhadas de ressalvas quanto ao possível papel do indivíduo no desenvolvimento de sua trajetória. Há, portanto, uma tensão entre o reconhecimento de forças externas sobre as quais não há controle por parte dos indivíduos e a vontade de garantir um *projeto* e um estilo de vida. É claro que a situação examinada, envolvendo violência e morte, apresenta aspectos limites em termos da dramatização da própria existência individual, como também pode ser verificado no trecho seguinte:

> *Eu já fui assaltada várias vezes. Na rua, no ônibus, em casa. Uma vez arrancaram um cordão de ouro e machucou o meu pescoço. Já vi muitos assaltos e roubos. Mas o pior foi o que aconteceu com um sobrinho meu de dezessete anos que estava começando a trabalhar numa firma na cidade. Fazia pequenos serviços, já estudava datilografia, fazia pagamentos, ajudava, quebrava galhos. Não era bem um "boy". Era um auxiliar de escritório. Um dia foi fazer pagamento em um banco e teve um assalto. A polícia chegou, houve tiro e ele morreu no meio da confusão. Ninguém sabe quem matou. Se foi bandido, se foi polícia. Isso já tem uns cinco anos. O que a gente pode dizer? O que a gente pode fazer? Foi azar, foi o destino, não sei. Só ele morreu. Teve uns feridos. Ele não tinha nada com aquilo tudo. Estava fazendo pagamentos. Era um rapaz alegre, trabalhador, tinha futuro. Queria fazer uma faculdade. Acho que de economia. Trabalhava de dia, estudava de noite. Uma fatalidade. Uma desgraça. A família ficou arrasada. É muito difícil a pessoa se conformar. Quem é religioso acho que se conforma mais. O pessoal espírita é muito conformado. Eu sou meio católica mas fico muito revoltada, às vezes* (38 anos, funcionária pública estadual, casada, um filho, moradora do Flamengo).

Este trecho de depoimento aciona categorias e preocupações que já foram percebidas no anterior — sorte, azar, fatalidade. Fala explicitamente de *destino*. No final faz considerações sobre religiosidade, colocando-se em posição ambígua — "meio católica".

Há, creio, uma nítida diferença entre os dois depoimentos. No primeiro encontramos muito mais a vontade de reagir e agir sobre o mundo. Não, propriamente, no sentido de transformá-lo mas de enfrentá-lo. No segundo há mais uma constatação de desgraça, uma afirmação do poder de forças externas, incontroláveis e imponderáveis.

Pode-se especular sobre as características de cada depoente — sexo, idade, ocupação etc. Mas creio ser importante registrar que é possível identificar, considerando as próprias diferenças, um *repertório básico*, um *estoque de conhecimentos* que informa ambos os depoimentos. Há mudanças de ênfase, o primeiro depoente tem um discurso mais irado, a segunda um mais perplexo. Há revolta e inconformismo em ambos, talvez mais indignação no primeiro. Há, sem dúvida, uma problemática ética e moral. A idéia de imprevisibilidade, de falta de controle, aparece no primeiro como algo que, de alguma forma, deve se tentar enfrentar, enquanto no segundo fica mais evidente a ausência de alternativas, de meios, para evitar as ameaças. No primeiro, a solução é armar-se e estar preparado para reagir aos perigos da selva urbana, das "feras". A idéia de *fatalidade* aparece de modo mais vigoroso e explícito no segundo depoimento embora não esteja ausente, como já foi visto, no primeiro.

De alguma maneira, há uma busca deliberada no primeiro de uma margem de manobra, de uma recusa a ficar tolhido totalmente pelo perigo e violência. Estes fenômenos estão associados a uma situação social e às características de certos indivíduos. No segundo não aparece, propriamente, uma reflexão a esse respeito, mas sim uma constatação de fragilidade de vida diante de fatos imprevisíveis.

*

Estamos diante do discurso e de representações de uma amostra de um universo de camadas médias brasileiras. Não cabe aqui apresentar e discutir números, proporções e percentagens. Não é este o meu objetivo. Trata-se de reconhecer nessa situação contemporânea a presença de significados que, como vimos, estão presentes na constituição dos valores da sociedade ocidental. É exatamente da tensão entre as possibilidades da responsabilidade e ação individuais e o determinismo de forças externas que surge como importante a noção de *campo de possibilidades*.[26] É aí que se coloca o espaço de manobra possível, diante das circunstâncias de toda natureza, para a implementação de *projetos* individuais, isto é, *ações organizadas para atingir objetivos específicos*. No caso em pauta, examinamos uma situação limite em termos humanos, embora natural, a da morte propriamente dita. Mas esta vem associada à violência. Portanto, ligada a uma situação sócio-histórica particular.

É indiscutível que o fenômeno da violência é recorrente na história ocidental e da humanidade em geral. A idéia de que vivemos no Brasil contemporâneo uma experiência particularmente aguda aparece associada à percepção de uma *crise* que, embora variando nas diferentes leituras de diferentes grupos e mesmo indivíduos, tem aspectos e dimensões totalizantes, contaminando a vivência de quase toda a sociedade. Os *planos de realidade* e *províncias de significado* em que a *crise* será sublinhada variarão relacionados a diversos fatores como origem e trajetória social, crença religiosa, idade, região, bairro etc. Assim os aspectos que serão sublinhados poderão ser econômicos, políticos, morais. Mas, com freqüência cada vez maior, no universo de camadas médias delineia-se uma visão de *crise global*, quando não *universal*. Em alguns casos seria até possível fazer indicações sobre possíveis conotações milenaristas. Movimentos mais ou menos esotéricos, seitas aqui como em outros lugares do mundo vêem sinais de desagregação e de fim dos tempos, ou de uma época. Exemplos podem ser encontrados na astrologia, na ufologia, entre outros.[27]

26. Velho, Gilberto. *Individualismo e cultura: notas para uma antropologia da sociedade contemporânea*. Rio de Janeiro, Zahar, 1981; 3. ed., Jorge Zahar, 1994.
27. Ver, por exemplo, Vilhena, Luis Rodolfo da Paixão. *O mundo da astrologia: estudo antropológico*. Rio de Janeiro, Jorge Zahar, 1990; e Ferreira Neto, José Fonseca. *A ciência dos mitos e o mito da ciência*. Brasília, UnB, 1984.

Mas, no discurso do universo investigado, aparece com nitidez também o caráter *brasileiro* da crise. A explicação pode ser de ordem econômica e política mas é, muitas vezes, de ordem moral e mesmo étnica, racial como, por exemplo:

> *O Brasil não tem jeito. Colonizado por portugueses, misturados com botocudos e negros, tinha que dar nisso. É uma pouca vergonha generalizada. Não tem liderança, os políticos são corruptos. Os militares também se corrompem. Não tem jeito. Aqui as coisas vão estar sempre pior porque o povo não tem solução. Eu estou muito velho para sair daqui. Mas que dá vontade, dá. É roubo, assalto. Sempre teve mas está cada vez pior. Tem mais negro e nordestino na rua. Acabou a pouca segurança que tínhamos. Ninguém se dá ao respeito. Minha filha foi assaltada com minha neta de seis anos. Ninguém socorreu. Em plena rua, de dia, em Copacabana. Falta de hombridade. Este país e este povo estão condenados. Falta de caráter não tem solução. Um colega meu de sessenta teve que se atracar com um assaltante de uns vinte anos no centro da cidade. Há uns dois anos. Afinal o ladrão correu. Ninguém ajudou. Um outro conhecido foi assassinado saindo do Municipal.*[28] *Não teve ninguém para socorrê-lo que estava com a senhora. É um país condenado, é o nosso destino. Tem muita gente se armando. Eu tenho um revólver em casa. Já saí armado. Sou responsável agora pela minha segurança e de minha família e com o governo e a polícia eu não conto. Não posso depender da proteção divina* (62 anos, médico, casado, três filhos, dois netos, morador de Copacabana).

O caráter, digamos racista, deste depoimento não chega a ser novidade. O que, mais uma vez, importa aqui privilegiar é a pressão das circunstâncias e a possibilidade do depoente atuar de alguma forma. Há uma forte ênfase moral na sua avaliação e crítica da sociedade brasileira. O *destino*, no caso, é coletivo — "o nosso destino" — do país, do povo, da sociedade. De qualquer forma, aproxima-se do primeiro depoimento quando levanta a questão da arma e sua necessidade de defender-se. Há uma forte indignação moral e há referências a uma piora das condições de vida, com um nítido pessimismo, ausência de esperança em relação ao Brasil.

No caso a própria idade do entrevistado aparece como um limite definitivo a uma possível saída do país. Há julgamento

28. Mesmo caso da primeira narrativa.

negativo sobre indivíduos e sobre uma coletividade — "falta de caráter".

Outro trecho de depoimento que creio ilustrar bem a tensão entre uma possível ação individual e determinantes externos é o que se segue:

> *Sei das dificuldades do país. A nossa história é de exploração, muita miséria e opressão. São séculos de erros e de má intenção. Muita corrupção. Sei que isto não pode mudar da noite para o dia. São as forças da sociedade e da história, muito poderosas. Mas alguém tem que tomar iniciativa e reagir contra esses abusos e excessos. A morte de Fernando*[29] *me chocou muito e foi uma espécie de gota ou balde de água. A sociedade tem que se organizar para mudar essa situação. É preciso muito trabalho e esforço. Mas é nossa responsabilidade. Não podemos abrir mão disso. Não basta se armar. Eu não acredito nisso. É importante organizar-se, votar, pressionar governo e políticos. Acho que os bons cidadãos têm se omitido e assim deixam de ser bons cidadãos. Tem que protestar e agir como agora está fazendo a Regina Gordilho.*[30]*.Não podemos ficar encolhidos, com medo. Ela teve o filho assassinado pela polícia e foi à luta. Está fazendo o mesmo na Câmara, lutando contra a corrupção e o empreguismo. É esse o caminho, temos que assumir nossas responsabilidades* (38 anos, economista, casado, um filho, morador da Tijuca).

Assim reencontramos a afirmação dos deveres e obrigações de um indivíduo-sujeito, fortemente ligado à noção de responsabilidade e cidadania. Corresponde à ênfase em uma *província de significado* em que a política e a ética de alguma forma se encontram. O campo de possibilidades é algo a ser explorado e expandido. De certa forma este é um depoimento politizado em termos explícitos, com referências diretas a uma ação organizada e coordenada. Há uma noção de responsabilidade individual e social. Não se falou em *destino* mas no poder de forças externas, na História, por exemplo. Mas há uma recusa ao conformismo ou fatalismo.

Podemos terminar essas reflexões voltando ao início do séc. XIV com Dante, novamente:

29. Ver primeira narrativa.
30. Presidente da Câmara dos Vereadores da Cidade do Rio de Janeiro em 1989.

Vós, os viventes com simplicidade,
julgais estar aos céus tudo importado
por força de fatal necessidade.

Mas com isto se vira erradicado
o livre-arbítrio, e senso não faria
haver-se o mal punido e o bem premiado.

O céu os vossos atos inicia,
não direi todos, mas se assim fizesse,
dada vos foi, a lua que aponta a via.

Quem contra o mal, seguro, se enrijece,
e a luta adentra, de consciência dina,
acaba ver vencer e não perece.

A uma ordem superior, por ser divino,
livres, vos sujeitais e ela é que a mente
criou em vós, à própria disciplina.

Visto que o mundo se transviou presente
a causa está em vós, de vós aceita;
e isto a demonstrarei bem claramente.[31]

31. Dante. op. cit., Purgatório Canto XVI, 67 a 82, fala de Marco Lombardi, p. 149.

REFERÊNCIAS BIBLIOGRÁFICAS

Azevedo, J. Lúcio. *A evolução do sebastianismo*. Lisboa, Livraria Clássica Editora, 1944.

Bakhtin, Mikhail M. *The Dialogic Imagination: four essays by M.M. Bakhtin*. Austin, University of Texas Press, 1981.

______. *A cultura popular na Idade Média e no Renascimento*: o *contexto de François Rabelais*. São Paulo, Hucitec/Edusp; Brasília, Ed. Universidade de Brasília, 1987.

Barbosa, Lívia Neves de Holanda. *Estações do ano: estudo preliminar das representações*. Rio de Janeiro, PPGAS/Museu Nacional/UFRJ, 1981.

Bastide, Roger. *As religiões africanas no Brasil*. 3. ed., São Paulo, Pioneira, 1989.

Bateson, Gregory. *Naven: a survey of the problems suggested by a composite picture of the culture of a New Guinea Tribe drawn from three points of view*. 2. ed., Stanford, Stanford University Press, 1958.

Beattie, John e Middleton, John (orgs.). *Spirit Mediumship and Society in Africa*. Londres, Routledge & Kegan Paul, 1969.

Becker, Howard S. *Outsiders: studies in the sociology of deviance*. Nova York, The Free Press, 1963.

______. *Uma teoria da ação coletiva*. Rio de Janeiro, Zahar, 1977.

Benedict, Ruth. *Patterns of Culture*. Boston, Houghton Mifflin, 1934.

______. *The Chrysanthemum and the Sword: patterns of japanese behavior*. Boston, Houghton Mifflin, 1946. Tradução brasileira: *O crisântemo e a espada: padrões da cultura japonesa*. São Paulo, Perspectiva, 1972.

Benjamin, Walter. *Walter Benjamin: Sociologia*. São Paulo, Ática, 1985.

Berger, Peter e Luckman, Thomas. *A construção social da realidade: tratado de sociologia do conhecimento*. Petrópolis, Vozes, 1973.

Bernstein, Basil. "Theoretical studies towards a sociology of language", in *Class, Codes and Control*. Londres, Routledge & Kegan Paul, v. 1, 1971.

Birman, Patrícia. *Feitiço, carrego e olho grande, os males do Brasil são: estudo de um centro umbandista numa favela do Rio de Janeiro*. Rio de Janeiro, PPGAS/Museu Nacional/UFRJ (dissertação de mestrado), 1980.

Bouglé, Célestin. *Essais sur le régime des castes*. Paris, PUF, 1969.

Brown, Diana. *Umbanda: politics of an urban religious movement*. Nova York, Columbia University, 1974.

Burckhardt, Jacob. *La Cultura de Renascimento en Italia*. Buenos Aires, Losada, 1942.

Burke, Peter. *Cultura popular na idade moderna*. São Paulo, Companhia das Letras, 1989.

Calvino, Ítalo. "Ovídio e a contigüidade universal", in *Por que ler os clássicos*. São Paulo, Companhia das Letras, 1993.

Camargo, Cândido Procópio. *Kardecismo e umbanda*. São Paulo, Pioneira, 1961.

Canclini, Néstor García. *Las Culturas populares en el Capitalismo*. México, Editorial Nueva Imagem, 1982.

Cândido, Antônio. "Da vingança", in *Tese e antítese*. São Paulo, Companhia Editora Nacional, 1964, 1-28.

Cohn, Norman. *The Pursuit of the Millenium*. Londres, Paladin, 1972.

Coutinho, Mônica Roque. *Telenovela e texto cultural: análise antropológica de um gênero em construção*. Rio de Janeiro, PPGAS/Museu Nacional/UFRJ (dissertação de mestrado), 1993.

Crapanzano, Vincent. *The Hamadsha: a study in Moroccan Ethnopsychiatry*. Berkeley, University of California Press, 1973.

Da Matta, Roberto. *Carnavais, malandros e heróis*. Rio de Janeiro, Zahar, 1979.

Dante Alighieri. *A divina comédia*. Itatiaia, 1984. Tradução e introdução de Cristiano Martins.

Deleuze, Gilles. *Proust et les signes*. Paris, PUF, 1964.

Diniz, Eli. "Destino: variações em torno de um mesmo tema", in Eduardo Prado (org.), *Destino*. Terceira Margem, 1988, p. 50-4.

Duarte, Luiz Fernando Dias. "O culto do eu no tempo da razão". *Três ensaios sobre pessoa e modernidade*. Boletim do Museu Nacional — Nova Série Antropologia, PPGAS/Museu Nacional/UFRJ, n. 41, agosto de 1980, p. 2-27.

Duby, Georges. *Le Chevalier, la femme et le prêtre*. Paris, Hachette, 1981.

______. *Idade Média, idade dos homens: do amor e outros ensaios*. São Paulo, Companhia das Letras, 1989.

Dumont, Louis. *Homo hierarchicus: essai sur le système des castes*. Paris, Gallimard, 1966.

______. "Religion, Politics and Society in the Individualistic Universe". *The Henry Myers Lecture: Proceedings of the Royal Anthropological Institute of Great Britain and Ireland for 1970*. Londres, RAI, 1971.

______. *Homo aequalis: genèse et épanouissement de l'idéologie économique.* Paris, Gallimard, 1977.

______. "La Conception moderne de l'individu". *Esprit*, v. 2, n. 14, Paris, 1978, p. 18-64.

Eliade, Mircea. *Le Chamanisme et les techniques archaiques de l'extase*. Paris, Payot, 1968.

Fernandes, Florestan. *O negro e o mundo dos brancos*. São Paulo, Difel, 1972.

Ferreira Neto, José Fonseca. *A ciência dos mitos e o mito da ciência*. Brasília, UnB, 1984.

Firth, Raymond. *Elements of Social Organization*. Londres, Watts, 1951.

Freyre, Gilberto. *Casa grande e senzala: formação da família brasileira sob o regime da economia patriarcal*. 16. ed., Rio de Janeiro, José Olympio, 1973.

Geertz, Clifford. *The Interpretation of Cultures*. Nova York, Basic Books, 1973. Tradução brasileira: *A interpretação das culturas*. Rio de Janeiro, Zahar, 1978.

Gernet, Louis. *Anthropologie de la Grèce Antique*. Paris, F. Maspero, 1976.

Giddens, Anthony. *The Consequences of Modernity*. Stanford, Stanford University Press, 1990.

Ginzburg, Carlo. *O queijo e os vermes: o cotidiano e as idéias de um moleiro perseguido pela Inquisição*. São Paulo, Companhia das Letras, 1987.

______. *História noturna: decifrando o sabá*. São Paulo, Companhia das Letras, 1991.

Gluckman, Max. *Essays on the Ritual of Social Relations*. Daryll Forde et al. Manchester, Manchester University Press, 1962.

Goffman, Erving. *The Presentation of Self in Everyday Life*. Nova York, Doubleday Anchor Books, 1959.

Gonçalves, Márcia C. *O caso da pomba-gira*. Rio de Janeiro, PPGAS/Museu Nacional/UFRJ (dissertação de mestrado), 1983.

Halbwachs, Maurice. *Les Cadres sociaux de la mémoire*. La Haye, Mouton, 1976.

Hauser, Arnold. *Social History of Art*. Nova York, Vintage Books, 4 v., 1957.

Hill, Clifford A. e Varenne, Hervé. "Family Language and Education: the sociolinguistic model of restricted and elaborated codes". *Social Science Information* (SAGE), v. 20, n. 1, Londres, 1981, p. 187-228.

Homero. *Odisséia*. São Paulo, Melhoramentos, 1961. Tradução de Carlos A. Nunes.

______. *Ilíada*. São Paulo, Melhoramentos, 1962. Tradução de Carlos A. Nunes.

Hughes, Everett C. *The Sociological Eye: selected papers on institutions and race*. Chicago, Aldine Athernon, 1971.

Jeanmaire, H. *Dionysos: histoire du culte de Bacchus*. Paris, Payot, 1970.
Kottak, Conrad Phillip. *Prime Time Society: an anthropological analysis of television and culture*. Belmont, California, Wadsworth Publishing Company, 1990.
Kuschnir, Karina. *Política e mediação cultural: um estudo na Câmara Municipal do Rio de Janeiro*. Rio de Janeiro, PPGAS/Museu Nacional/UFRJ (dissertação de mestrado), 1993.
Lapassare, George e Luz, Marco Aurélio. *O segredo da macumba*. Rio de Janeiro, Paz e Terra, 1972.
Laraia, Roque de Barros. "O 'homem marginal' numa sociedade primitiva". *Revista do Instituto de Ciências Sociais do Rio de Janeiro*, v. 4, nº 1, jan./dez., 1967, p. 143-58.
Lasch, Christopher. *The Culture of Narcisism*. Nova York, Norton, 1978.
Le Goff, Jacques. *Os intelectuais na Idade Média*. Lisboa, Editorial Estudios Cor, 1973.
Lévi-Strauss, Claude. *As estruturas elementares do parentesco*. Petrópolis, Vozes, 1976.
Lossio Seiblitz, Zélia M. *Dentro de um ponto riscado: estudo de um centro espírita na zona norte do Rio de Janeiro*. Rio de Janeiro, PPGAS/Museu Nacional/UFRJ (dissertação de mestrado), 1979.
Maggie, Yvonne. *A quem devemos servir: notas sobre a novela das sete*. Inédito.
______. *Guerra de orixá: um estudo de ritual e conflito*. Rio de Janeiro, Zahar, 1975.
______. *Medo do feitiço: relações entre magia e poder no Brasil*. Rio de Janeiro, Arquivo Nacional, 1993.
Maranhão, Túlio Persio. *The Pragmatics of Speach Act, Conflict, Consensus and Understanding*. Harvard University (tese de PhD em antropologia), 1981.
Mead, Margaret. *Sex and Temperament in Three Primitive Societies*. Nova York, William Morrow, 1935. Tradução brasileira: *Sexo e temperamento*. São Paulo, Perspectiva, 1969.
Mello e Souza, Laura. *O diabo e a Terra de Santa Cruz: feitiçaria e religiosidade popular no Brasil colonial*. São Paulo, Companhia das Letras, 1986.
Meyer, Marlise. *Maria Padilha e toda a sua quadrilha: de amante de um rei de Espanha à pomba-gira de umbanda*. São Paulo, Duas Cidades, 1993.
Mott, Luiz. "Acotundá: raízes setecentistas do sincretismo religioso afro-brasileiro". *Revista do Museu Paulista*, nº 31, 1986, p. 124-47.
Musil, Robert. *L'Homme sans qualités*. Paris, Seuil, 1956.
Ovídio. *As metamorfoses*. Edições de Ouro — clássicos de bolso, 1983. Tradução de David Gomes Jardim Jr.

Park, Robert E. "The City: Suggestions for the investigation of human behavior in the urban environment". *American Journal of Sociology*, XX, 1916, p. 577-612. Tradução brasileira: "A cidade: sugestões para a investigação do comportamento humano no meio urbano", in Otávio G. Velho (org.), *O fenômeno urbano*. Rio de Janeiro, Zahar, 1967, p. 29-72.

Prado, Rosane Manhães. "Um ideal de mulher: estudo dos romances de M. Delly". *Perspectivas Antropológicas da Mulher 2*, Rio de Janeiro, Zahar, 1981, p. 71-112.

______. *Mulher de novela e mulher de verdade: estudo sobre cidade pequena, mulher e telenovela*. Rio de Janeiro, PPGAS/Museu Nacional/UFRJ (dissertação de mestrado), 1987.

Prandi, Reginaldo. *Os candomblés de São Paulo: a velha magia na metrópole nova*. São Paulo, Hucitec/Edusp, 1991.

Queirós, Maria Isaura Pereira. *Messianismo no Brasil e no mundo*. São Paulo, Edusp, 1965.

Queirós, Maurício Vinhas. *Messianismo e conflito social*. Rio de Janeiro, Civilização Brasileira, 1966.

Redfield, Robert. *The folk culture of Yucatan*. Chicago, The University of Chicago Press, 1968.

Reis, João José. "Magia Jege na Bahia: a invasão do Calundu do pasto de Cachoeira, 1785". *Revista Brasileira de História*, São Paulo, v. 8, nº 16, 1988, p. 57-82.

Rozsac, Teodor. *A contracultura*. Petrópolis, Vozes, 1972.

Schutz, Alfred. *Collected Papers*. The Hague, Martius Nijhoff, 3 v., 1970-1971.

______. *Fenomenologia e relações sociais*. Rio de Janeiro, Zahar, 1979.

Sennet, Richard. *The Fall of Public Man*. Nova York, Vintage Books, 1978.

Simmel, Georg. *Conflict and the Web of Group-affiliations*. Nova York, The Free Press, 1964a.

______. *The Sociology of Georg Simmel*. Kurt H. Wolff (org.), Nova York, The Free Press, 1964b.

______. *On Individuality and Social Forms*. Donald Levine (org.), Chicago, University of Chicago Press, 1971.

______. *El indivíduo y la libertad*. Barcelona, Península, 1986.

______. *La tragédie de la culture*. Paris, Petite Bibliothèque Rivages, 1988.

Thomas, William I. e Znaniecki, Florian. *The Polish Peasant in Europe and America*. Nova York, Octagon Books, 1974.

Turner, Victor. *Dramas, Fields and Metaphors*. Ithaca, Cornell University Press, 1974.

Velho, Gilberto. *A utopia urbana: um estudo de antropologia social*. Rio de Janeiro, Zahar, 1973. 5. ed., Rio de Janeiro, Jorge Zahar, 1989.

______. "Acusations, family mobility, and deviant behaviour". *Social Problems*, vol. 23, n. 3, fevereiro de 1976, p. 268-75.

______. "O antropólogo pesquisando em sua cidade: sobre conhecimento e heresia", in Gilberto Velho (coord.), *O desafio da cidade*. Rio de Janeiro, Campus, 1980a, p. 13-20.

______. "Uma perspectiva antropológica do uso de drogas". *Jornal Brasileiro de Psiquiatria*, v. 29, n. 6, Rio de Janeiro, 1980b, p. 355-8.

______. *Individualismo e cultura: notas para uma antropologia da sociedade contemporânea*. Rio de Janeiro, Zahar, 1981. 3. ed., Jorge Zahar, 1994.

______. "Sistemas cognitivos e sistemas de crença: problemas de definição e comparação". 13ª Reunião da Associação Brasileira de Antropologia — 1982. *Comunicação*, PPGAS/Museu Nacional/UFRJ, n. 8, 1984, p. 1-16.

______. *Subjetividade e sociedade: uma experiência de geração*. Rio de Janeiro, Jorge Zahar Editor, 1986.

______. "Destino e projeto: uma visão antropológica", in Eduardo Prado (org.), *Destino*. Terceira Margem, 1988.

______. "Cotidiano e Crise". *Folha de São Paulo*, 4 de fevereiro, 1989.

______. e Machado da Silva, Luis Antônio. "Organização social do meio urbano". *Anuário Antropológico/76*, 1977, p. 71-82.

______. e Viveiros de Castro, Eduardo. "O conceito de cultura e o estudo das sociedades complexas". *Artefato*, nº 1, Jornal de Cultura do Estado do Rio de Janeiro, 1978, p. 4-9.

Vernant, Jean-Pierre. *Mito e pensamento entre os gregos: estudos de psicologia histórica*. São Paulo, Difel, 1973.

Vilhena, Luis Rodolfo da Paixão. *O mundo da astrologia: estudo antropológico*. Rio de Janeiro, Jorge Zahar, 1990.

Viveiros de Castro Cavalcanti, Maria Laura. *O mundo invisível: cosmologia, sistema ritual e noção de pessoa no espiritismo*. Rio de Janeiro, Zahar, 1983.

______. *Onde a cidade se encontra: o desfile das escolas de samba no Rio de Janeiro*. Rio de Janeiro, PPGAS/Museu Nacional/UFRJ (tese de doutorado), 1993.

Wagner, Helmut R. *Alfred Schutz: an intellectual biography*. Chicago, The University of Chicago Press, 1983.

Warner, W. Lloyd et al. *Yankee City*. New Haven, Yale University Press, 1963.

Wirth, Louis. "Urbanism as a way of life". *The American Journal of Sociology*, v. 44, n. 1, Chicago, 1938. Tradução brasileira: "O urbanismo como modo de vida", in Otávio G. Velho (org.), *O fenômeno urbano*. Rio de Janeiro, Zahar, 1967, p. 97-122.